Más allá de lo inexplicable

Pedro Palao Pons

Más allá de lo inexplicable

Licencia editorial para Bookspan por
cortesía de Ediciones Robinbook, S.L.,Barcelona

Bookspan
501 Franklin Avenue
Garden City, NY 11530

Diseño cubierta: Regina Richling
Coordinación y compaginación: MC producció editorial
ISBN-13: 978-84-7927-763-5

Impreso en U.S.A. *Printed in U.S.A.*

Introducción

Nuestro mundo tangible, cartesiano y «normal», es una broma o al menos lo parece. Nos erigimos como especie dominante sin aceptar que, al margen de todo lo que todavía tenemos por descubrir, quizá compartimos el planeta con hombres de las nieves, unicornios, hombres pájaro, enanos, y hasta con bases de seres extraterrestres.

Aceptamos la existencia de las religiones y en cambio dudamos e incluso esbozamos una sonrisa cuando tenemos noticia de las manifestaciones de los ángeles, los milagros, las posesiones demoníacas o los mensajes proféticos de santos, vírgenes y mártires.

Dominamos la medicina y la cirugía, pero no podemos explicar la combustión espontánea, los estigmas, la incorruptibilidad de los cuerpos, ni cómo caminamos sobre el fuego o por qué podemos levitar.

Vivimos en un mundo inalámbrico y virtual, con una cotidianidad que a veces raya la ciencia ficción, pero continuamos sin aceptar la telepatía entre animales, plantas y humanos; seguimos negando la curación energética a distancia; sonriendo ante los viajes místicos de los chamanes o dudando de los mensajes que los fantasmas y espíritus emiten desde el otro lado... o desde casas encantadas. ¿Increíble? Negar la evidencia es una forma de no enfrentarse al miedo.

Este no es un libro de respuestas. Simplemente porque en la mayoría de los casos no las hay o todavía esperan ser descubiertas. Es cierto que muchas personas, muchos investigadores y otros tantos visionarios, aseguran tener las explicaciones a casi todos los enigmas del mundo. Unos recurrirán simplemente a la hipótesis del fraude; otros al teorema pseudocientífico y, cómo no, habrá quien pretenda encontrar la justificación absolutamente de todas las cosas a través de la presencia de entidades superiores como dioses o seres extraterrestres. A todos ellos felicidades, pero no buscamos la respuesta, sólo saber que algo pasa, y una advertencia, no nos pasemos de listos, ignoramos mucho más de lo que sabemos.

Sé que muchas personas conocedoras de mi trayectoria profesional, como escritor y periodista, pensarán que al exponer sin responder, caigo en un error. Afirmarán que contribuyo al mar de confusión de los llamados temas insólitos. La mía no es la cruzada de la respuesta, que por otra parte muchas veces es más simple de lo que imaginamos y es más «de acá» que del «más allá».

Durante años, más de veinte, he tenido la oportunidad de ver y vivir experiencias aterradoras, increíbles, extrañísimas, ridículas, fraudulentas, divertidas, patéticas, y todas ellas tenían un denominador común: pertenecían a los llamados fenómenos paranormales o de carácter insólito.

El tema no está en si un espíritu puede poseer la pierna y no el resto del cuerpo de una persona, algo que vi en un congreso sobre posesiones infernales. El tema es que eso ocurre y alguien, luego, tiene que realizar un exorcismo alejando a los supuestos demonios que en su huida destrozan la habitación donde se produce el acto de posesión.

La cuestión no es si una vidente puede, entre un plato de espárragos a la brasa y una paella, entrar en trance. Como imaginará el lector, me dio la comida. La gracia está en que lo hace o al menos se lo cree y encima da un mensaje entre eructos y convulsiones. ¿Es un fraude? Seguramente, pero son muchas las personas que actuando como médium han revelado cuestiones escalofriantes, relatando al detalle episodios de la vida de quien tenían delante y no conocían.

Recuerdo cierta ocasión en la que Erick el Rojo, o mejor dicho su espíritu, me hablaba a través de un convulsionado médium santero, relatando aspectos de mi vida que sólo yo conocía. El tema no es si el trance era real, que lo era o al menos lo parecía, sino que hay personas que entran en un estado modificado de conciencia viajando más allá de la realidad, que hablan con difuntos o con su energía y que son capaces de las cosas más extrañas.

Puede parecer increíble que un médium pinte cuadros bajo estado de trance a una velocidad de vértigo; que otros sean capaces de escribir, conectando con autores ya difuntos, relatos que llaman canalizados; y ya, en la paradoja de lo insólito, que haya quien, además, pueda componer música o tocar el piano, guiado desde el más allá por las sabias manos de Mozart, pero sin tener noción alguna de solfeo. Todo ello por no decir que, además, son capaces de curar e incluso operar guiados desde el más allá.

Personalmente no he tenido la suerte –no debo estar preparado– de contactar con seres de otros mundos, pero ¿sabe el lector que ha habido personas presuntamente violadas por seres extraterrestres? ¿Tiene constancia de que otros han padecido implantes? ¿Sabe que durante años se habló del pacto entre seres del espacio y gobiernos terráqueos? ¿Recuerda la famosa autopsia del cadáver de un extraterrestre que hace no muchos años vimos en *prime time* en televisión?

En este libro, mi labor no es la de investigador, ni la de periodista inquisitivo. Mi objetivo es simple y llanamente contar cosas. Cosas en las que a simple vista uno no cree. Relatar hechos que han ocurrido, otros que están pasando ahora y que siguen siendo un misterio. Es verdad que algunos de ellos quizá han podido resolverse, pero no nos llevemos a engaño, seguimos tan lejos de la respuesta como hace décadas, por no hablar de siglos.

¿Mi objetivo con este libro? Compartir todos esos temas y muchos otros más con el lector, pero partiendo de la base de que no siempre tenemos una respuesta, una hipótesis clara que nos dé la solución del misterio. Mi objetivo es pasar un buen rato y provocar la curiosidad, que será la que nos lleve a hacer todavía más preguntas, y quién sabe si a hallar alguna respuesta.

1

Ver y oír el más allá

Las siglas P. E. S. (percepción extra sensorial) aquellos fenómenos que nos permiten ver más allá de los sentidos, escuchar voces o percibir hechos anómalos, ya sea a través del sueño o estando perfectamente despiertos. ¿Es una facultad al alcance de todo el mundo? ¿Podemos ver más allá de nuestros ojos? ¿Cabe la posibilidad de que nuestro cerebro capte imágenes de cosas que ocurren a kilómetros de distancia o incluso en la otra punta del mundo? ¿Qué es realmente la visión remota?

Captó un incendio a kilómetros de distancia

La noche del 19 de julio de 1759 ocurriría algo que dejaría boquiabiertas a una veintena de personas. Con ellas estaba Emanuel Swedenborg quien, con el tiempo, sería conocido por su capacidad para contactar con el más allá.

La reunión discurría amigablemente cuando de pronto Swedenborg dejó con la palabra en la boca a uno de sus contertulios, se levantó y salió de la estancia sin mediar palabra. Estaba nervioso. Su rostro estaba conmocionado.

> «Un fogonazo crepitó en mi interior. Las llamas invadían mi mente. Un incendio terrible estaba causando estragos. Los fo-

gonazos habían quemado ya la casa de un amigo mío y amenazaban la mía.»

En aquel tiempo no había teléfonos móviles ni rápidos mensajeros capaces de notificarle al sensitivo lo que estaba pasando. El incendio no se producía en la acera de enfrente, ni en las proximidades de la ciudad, ni tan siquiera en la misma. Swedenborg tenía su residencia en Estocolmo y la reunión acontecía en Gotemburgo.

¿Qué tipo de fenómeno percibía el visionario? ¿Qué mecanismos se pusieron en marcha para la captación a distancia de aquel hecho? No lo sabemos, pero Swedenborg no era un vidente al uso, sino un reputado ingeniero y escritor versado en temas tan variados como psicología, teología e incluso zoología.

Las visiones ígneas de Swedenborg se fueron sucediendo durante varias horas a lo largo de aquella reunión. Continuamente entraba y salía de la estancia, y cada vez que volvía a reunirse con las otras personas, informaba de la evolución del incendio. Sólo hasta la noche del día siguiente no se supo la realidad: efectivamente se había producido un terrorífico incendio que destrozó varias viviendas y que consiguió extinguirse aproximadamente a las ocho de la noche, la hora en que Swedenborg realizó su último anuncio:

«Estoy mucho más tranquilo, todo está terminando. El peligro ya ha pasado. Mi casa no se ha quemado.»

Todos, en algún momento determinado, hemos tenido percepciones que escapaban a nuestro sentido lógico. Cuando vemos, escucha-

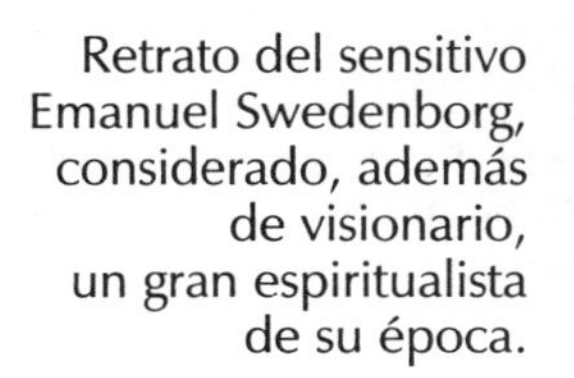

Retrato del sensitivo Emanuel Swedenborg, considerado, además de visionario, un gran espiritualista de su época.

mos o sentimos algo que no sabemos justificar, inmediatamente hablamos de una intuición. Otros prefieren llamarlo sexto sentido. Se ha podido demostrar que gracias a la relajación, meditación o incluso a las vivencias oníricas, es posible ver más allá de nuestros sentidos.

La visión remota es un fenómeno paranormal que muchas personas viven de forma involuntaria: logran percibir, como si estuviera ocurriendo ante sus ojos, episodios que se producen realmente a kilómetros de distancia. El caso de Swedenborg no es, ni mucho menos, único en su género.

Visualizó el atropello de su hija

En 1955 la señora Hurth, mientras lava la vajilla, percibe un fogonazo en su interior. Algo está pasando. Un miembro de su familia está a punto de morir.

> «Estaba sola en casa. Mi marido y dos de mis hijos habían acudido al cine y mi hija pequeña de cinco años a una fiesta infantil. Noté una pulsión en el interior de mi cabeza y un hormigueo en el brazo que provocó que se me cayera de las manos el plato que estaba lavando...»

El plato cae al suelo. Provoca un sonoro estallido y justo en ese momento, en el interior de la mente de la señora Hurth se produce un fogonazo. Percibe una desgracia familiar.

> «No tuve ninguna imagen clara. No vi la escena de un coche impactando contra el cuerpo de mi hija, simplemente percibí la desgracia y algo me empujó a correr en dirección al teléfono.»

Tras la inquietante percepción, la mujer, sin dudarlo, marca el número de teléfono del cine. Recordemos que presuntamente su hija no estaba en el local. Le dice a su interlocutor que sabe que su hija ha tenido un accidente. Quiere saber si es grave.

¿Cómo sabía la madre que la niña corría peligro? ¿Por qué llamó al cine y no a la casa donde se celebraba la festividad? Realmente su hija, al concluir la fiesta, caminaba en dirección a la sala de proyecciones que se encontraba en la calle de al lado. Su esperanza era encontrarse con su padre y sus hermanos en la salida. Cruzó corriendo la calle. No vio el coche que salía de su derecha. Fue atropellada a la altura de la puerta del cine. Tendida en el suelo gritaba el nombre de su madre. Ver situaciones, personas o casas en el interior de la mente se vincula con la visión remota o la paravisión, que no es más que una forma de P. E. S. Sin embargo, existen individuos capaces de percibir hechos anómalos simplemente dejando que sus ojos vaguen en el horizonte. Sus visiones no son en el interior de la mente, sino que ellos afirman ver en el momento, y con sus propios ojos, lo que está sucediendo.

El reloj premonitorio

En el año 1970, el boletín de investigación parapsicológica *Alter-Reality* se hacía eco del caso de John Downi, un jubilado británico que mientras caminaba por un parque percibió un cierto picor en sus ojos y decidió sentarse en un banco y dejar que su vista descansase vagando por entre las plantas y flores que le circundaban.

> «Miré el reloj, eran las siete de la tarde. Sin embargo, me pareció extraño observar que las agujas se movían solas y a una velocidad inusual. Se detuvieron a las ocho y diez minutos, justo en el momento en que la esfera de cristal de mi reloj se resquebrajaba en múltiples fisuras.»

Tras aquella visión, Downi parpadea sucesivas veces, se frota los ojos y mira con extrañeza su reloj. Sigue marcando las siete de la tarde. ¿Había tenido una visión? ¿Cuánto tiempo había durado? Perplejo por aquella situación, Downi comprobó el correcto funcionamiento del instrumento. Se lo acercó al oído, todo era normal. Pensó que se había imaginado la situación e incluso que se había dormido. Sin embargo, no tenía la certeza de ello.

> «Fumé un cigarrillo, saludé a un viejo conocido con el que charlé durante unos minutos, y después seguí caminando en dirección a mi casa. Recordé que debía pasar a recoger un encargo en una tienda cercana. Al dirigirme hacia ella vino a mi mente el episodio del reloj. Al llegar a la tienda, justo cuando estaba a punto de entrar, alguien salía precipitadamente. Al abrir la puerta se produjo un impacto que no sólo me llevó a caer al suelo, también a la mala fortuna de que en mi caída mi brazo izquierdo impactase de pleno contra la acera. La esfera de cristal del reloj se desmenuzó. Eran las ocho y diez.»

¿Qué conexión hubo entre el reloj y su dueño? ¿Tuvo una visión del futuro el señor Downi? ¿Si tras la visión se hubiera quitado el reloj de la muñeca, habría evitado el accidente? ¿El futuro está determinadamente escrito?

2

Voces desde la almohada: los sueños hablan

Experimentar una vivencia onírica es normal. Todos tenemos alrededor de cinco o seis sueños cada noche. Ahora bien, lo verdaderamente sobrecogedor no es soñar, sino percibir, a través de dicha vivencia, acontecimientos que todavía están por acaecer o captar otros que están pasando lejos de nosotros, simultáneamente mientras dormimos.

11-M, la pesadilla que le salvó la vida

Belén Jimeno, madre de tres hijos, tuvo una terrible pesadilla la madrugada del 11 de marzo de 2004. Soñó con una explosión, moría y sus hijos quedaban huérfanos. A las 6.30 horas su despertador la hizo regresar del mundo onírico. Debía levantarse y tomar un tren para ir a trabajar, pero Belén se sentía tan sobrecogida que decidió llegar más tarde al trabajo y acompañar a sus hijos a la escuela en lugar de que lo hiciera su marido. Aquel día murieron decenas de personas en los llamados Trenes de la Muerte. Belén, debía haber viajado en uno de ellos. Algo, quizá su intuición, la salvó. ¿Un sexto sentido?

Los sueños fúnebres de Lincoln

Uno de los casos más singulares y famosos de sueños extraños lo encontramos en el presidente de Estados Unidos Abraham Lincoln (1809-1865) quien, entre otras muchas experiencias, tuvo una que él interpretó como que alcanzaría la reelección de la presidencia, pero moriría antes de concluirla. Se vio ante un espejo contemplando una doble imagen de sí mismo, la segunda era borrosa. Lincoln pensó que su visión aludía a futuro, concretamente a su carrera política. Al parecer algo le dio a entender que alcanzaría la presidencia de EE UU, pero que tras conseguir la reelección no podría concluir su segundo mandato.

Lincoln soñó con su muerte

El que fuera presidente de los EE UU creía en los fenómenos paranormales, también en las profecías. Según su biógrafo Ward Lamont, a lo largo de su vida tuvo numerosas conexiones extrasensoriales que le hablaban de poder, grandeza y, al tiempo, de una muerte repentina.

Cierto día Lincoln sueña con personas que están llorando y derramando lágrimas con una profunda tristeza. Sabe que hay dolor, pero es incapaz de ver los rostros. En el sueño se encuentra caminando cerca de la Casa Blanca, y dado que no puede ver el rostro de quien llora, se acerca a la mansión presidencial siguiendo el supuesto origen del sonido.

Lincoln le contó a su biógrafo que en la visión onírica entra en la casa blanca, llega al salón Este y se encuentra ante un ataúd en cuyo interior ve un cuerpo vestido a la usanza fúnebre. En torno al catafalco observa soldados montando guardia.

Cuando Lincoln en su sueño le pregunta a los soldados quién es el muerto, éstos le responden que el finado es el presidente quien ha muerto asesinado.

La historia nos cuenta que el que fuera presidente de EE UU fue asesinado a tiros justo cuando comenzaba su segundo mandato presidencial, en el teatro Ford en Washington.

El que fuera presidente de los EE UU, Abraham Lincoln, tuvo numerosas visiones a lo largo de su vida.

Una visita de madrugada

El 15 de febrero de 1912, un hombre, M. B., abandona el hotel en el que ha estado viviendo durante varios meses. Semanas después la directora del hotel se despierta en plena noche. Algo en su interior la conmina a acudir a la habitación del antiguo huésped. Tiene la sensación de que éste la ha llamado varias veces en voz alta.

La señora Burg, todavía somnolienta, recorre el pasillo en dirección a la habitación de M. B. Cuando está a punto de entrar recuerda que su huésped hace semanas que ha abandonado el establecimiento. Mira el reloj, observa que son las tres de la madrugada y cree haber tenido un episodio de sonambulismo o un extraño sueño que ha alterado su conciencia.

Al día siguiente un hombre acude al hotel portando una nota de M. B., es decir, del antiguo huésped.

> «Mi querida amiga, disculpe la demora en establecer contacto con usted tras mi marcha de su establecimiento. Sólo unas letras para, en la confianza que nos une, comentarle que esta última noche he tenido un sueño divertido. He soñado que usted, ataviada con un camisón azul pálido y una bata de tono verdoso, estaba a punto de entrar en mi cuarto. He despertado, eran las tres de la madrugada.»

La señora Burg, que siempre había mantenido una correcta, pero distante amistad con su antiguo huésped, no pudo por menos que sorprenderse, no ya por el episodio narrado por aquél, ni por la coincidencia horaria, sino por lo más importante: efectivamente los colores de su camisón y bata coincidían con los que había descrito el antiguo huésped.

¿Aconteció un desdoblamiento astral por parte de la señora Burg? ¿Fue su espíritu el que visitó al antiguo huésped? ¿Se trató todo ello de una simple conexión telepática? En este caso, a diferencia de otros que hemos visto, no existió peligro ni acontecimiento negativo alguno. Debemos suponer que fue simplemente una manifestación de percepción extrasensorial. Pero hay otros tipos de percepciones.

Lo que el oído no escucha, pero la mente sí

¿Estamos seguros de que todo lo que escuchamos al cabo del día pertenece al mundo real? ¿Existe la voz de la conciencia? ¿Son ángeles o espíritus benéficos los que nos hablan desde el otro lado? ¿Se trata simplemente de una P. E. S. (percepción extra sensorial) en versión audio? La clariaudiencia es la capacidad de escuchar ruidos, voces o sonidos mediante canales no habituales.

La intuición no parece conocer de sistemas o métodos de comunicación. En ocasiones el sensitivo escucha una voz, alta y clara, que le dice qué debe hacer o le advierte de algo que puede suceder. ¿Qué provoca la voz? ¿Cómo la escucha el sensitivo?

Las voces del 11-S

Elvira nunca había creído en fenómenos ocultos. Nos conocimos por casualidad realizando unos trabajos periodísticos y lo primero que me dijo (quiero entender que medio en broma) cuando se enteró de mi vinculación con las temáticas insólitas fue algo así como «¿Eres de esos que escuchan vocecillas y ven cosas raras?». Meses después me llamaba preocupadísima. Algo, alguien se había puesto en contacto con ella. Una voz, según me dijo, la había salvado de morir en el atentado de las torres gemelas...

> «Era casi obsesivo. La voz me decía «no vayas, no vayas». Yo no tenía un pensamiento concreto, ni una preocupación que destacara sobre el resto. No tenía una cita prevista en toda la semana, por tanto no tenía que acudir a reunión alguna, pero cada vez que dejaba de prestar atención a lo que hacía o que me relajaba, me venía a la mente la frase «no vayas».

Sócrates afirmaba estar en contacto con voces que le guiaban y orientaban sobre lo cotidiano.

Al quinto día de escuchar la frase me llamaron de la redacción de la revista en la que colaboraba: me ofrecían la posibilidad de ir a Estados Unidos para realizar un reportaje gráfico sobre los rascacielos y las nuevas técnicas de construcción. «No vayas» fue lo único que escuché en mi interior mientras mantenía la conversación con mi redactor jefe. No acepté el trabajo. La voz desapareció de inmediato y no volví a escucharla. Sólo me acordé de ello pasadas tres semanas cuando presencié por televisión los atentados a las Torres Gemelas. En aquellas fechas yo habría estado allí si hubiera aceptado el trabajo.

La voz que guió a Sócrates

Sócrates, el gran pensador y filósofo griego, nacido en la antigua Atenas (470-399 a. C.), fue fundador de la filosofía moral. En general evitaba la política, no por convicción propia sino, como él contaba, frenado por sus percepciones extrasensoriales a las que él denominaba «advertencias divinas». A lo largo de su vida expuso, como convicciones propias, lo que las voces místicas le aconsejaban. Pero llegó un momento en que su clariaudiencia enmudeció. En el 399 antes de Cristo, Sócrates fue acusado de despreciar a los dioses del Estado, al tiempo de pretender introducir nuevas deidades y, entre ellos, aquellas que le hablaban sólo a él.

Las voces de Juana de Arco

Más allá de posibles patologías, Juana de Arco (1412-1431) más conocida como la doncella de Orleáns, recibió a los 13 años la llamada de Dios que, según ella, se le manifestó con una voz profunda. Juana tuvo la suerte también de haber visto al arcángel san Miguel, así como a las mártires santa Catalina de Alejandría y santa Margarita.

Todas estas entidades, a través del sonido de su voz, la aconsejaron a lo largo de su sucinta vida y la ayudaron, por ejemplo, a que animase al heredero de la corona de Francia Carlos VII cuando todavía era el Delfín. Las voces le dijeron que ella conduciría un ejército capaz de acabar con el sitio inglés de Orleáns y también que sería herida en batalla, pero quizá una de las revelaciones más importantes fue el hallazgo de su espada.

Juana de Arco aseguraba que cierto día las voces, que a veces escuchaba con un cierto tono de musicalidad, le dijeron que buscase una espada que encontraría enterrada en las inmediaciones del altar de la iglesia de Santa Catalina de Fierbois.

Las voces del más allá le matizaron a Juana que la hoja de la espada se hallaría cubierta de herrumbre, pero que tras una concienzuda limpieza se descubrirían cinco cruces inscritas en ella. Efectivamente Juana, con ayuda de unos sacerdotes, encontró la espada. Tras desenterrarla procedieron a su limpieza puesto que estaba muy oxidada. Al terminar el proceso observaron cinco cruces que lanzaron un intenso destello.

Juana de Arco tuvo la mala fortuna de ser acusada de herejía y brujería. Tras catorce meses de interrogatorio, fue condenada a muerte. Sin embargo, al confesar y arrepentirse de sus errores se le conmutó la pena por la de cadena perpetua. Lo malo fue que al volver a prisión nuevamente usó vestidos de hombre y dijo que las voces le habían dicho: «No pienses en tu martirio. Al final llegarás al paraíso».

El 30 de mayo de 1431, luego de haber sido condenada por un tribunal secular, fue quemada en la hoguera bajo el cargo de *Relapsa*, es decir, herética reincidente. Pero las cosas cambian, y Juana de Arco fue canonizada santa en 1920.

Cuando el filósofo era juzgado, la voz que cotidianamente le había guiado quedó en silencio. Sócrates únicamente repetía: «¿Cómo puedo explicarlo?». La voz no le daba respuesta alguna, de lo que el sabio dedujo que su fin estaba próximo y que cuanto aconteciese no sería fruto de la casualidad.

La costumbre era que los condenados, a fin de llevar a cabo la ejecución, bebiesen una copa de cicuta. Sócrates lo hizo de forma voluntaria convencido de que el momento de su muerte había sido ordenado por una entidad superior. Poco antes de beber el veneno dijo: «Veo claramente que morir de esta manera, y de esta manera ser liberado, será lo mejor para mí.»

Los síntomas de la esquizofrenia afectan a las áreas del pensamiento, percepciones, sentimientos, movimientos y las relaciones interpersonales. Las alteraciones del pensamiento se traducen en delirios. Las alucinaciones más frecuentes son las auditivas. El enfermo oye, en voz alta, sus propios pensamientos o escucha voces imaginarias que le hacen comentarios o le ordenan realizar determinadas acciones. Esta es la ciencia ortodoxa, pero las cosas no siempre son lo que parecen.

Churchill también oía voces premonitorias

El relevante político británico sir Winston Churchill (1874-1965) dijo haber tenido durante toda su vida ciertas premoniciones. Se afirma que algunas eran simples corazonadas pero que, en más de una ocasión, escuchó voces que le advertían de peligros.

Una noche, mientras el primer ministro ofrecía una cena en su residencia oficial, hubo un bombardeo, algo por otra parte habitual en aquellas fechas, pero algo le dijo a Churchill que saliera de allí. Se levantó de la mesa, fue corriendo a la cocina, dio instrucciones al personal de que colocasen la cena sobre un hornillo en el comedor y después les ordenó que fuesen al refugio antiaéreo. Hecho esto, el mandatario inglés volvió tranquilamente junto a sus invitados y siguió el desarrollo normal de la cena. Minutos después caía una bomba en la parte posterior de la casa que destruía totalmente la cocina, pero que no causó daño alguno ni a los invitados que estaban en el comedor ni tampoco al personal subalterno.

La voz que salvó la vida de Churchill

Otro de los episodios singulares vividos por Churchill fue cuando un día, tras visitar una batería antiaérea, regresaba a su coche oficial. En lugar de entrar por su parte izquierda, la habitual y que ya estaba abierta, el primer ministro rodeó el automóvil y se sentó entrando por la portezuela derecha. Comenzó su ruta y cuando había avanzado unos pocos metros una bomba explotó cerca del coche, alzándolo sobre las dos ruedas de la izquierda. Churchill, al llegar a casa, comentando el incidente, le dijo a su mujer: «Algo me dijo "detente" antes de que llegase a la puerta del coche que ya estaba abierta aguardándome.»

3

Más allá de la piel: la psicometría

La psicometría es la capacidad psíquica que poseen algunos médium y videntes para conectar con lo invisible, para romper las barreras espaciotemporales y percibir datos psíquicos o visiones que aluden a personas, animales y cosas. Un hueso, una prenda de ropa, un mechón de cabello, un reloj, joyas e incluso una fotografía son más que suficientes como para que el sensitivo conecte con ese otro plano.

En sus orígenes, la psicometría recibió el nombre de «metanogmia táctil», pero fue el investigador psíquico C. Buchanan quien, a finales del siglo XIX, estableció la denominación definitiva.

Las piedras que hablan de Pompeya

En 1874 un investigador de lo paranormal se da cuenta de que su hijo posee ciertas sensibilidades psíquicas. Un día decide probar hasta dónde puede llegar. Le cubre los ojos con un pañuelo y le pide concentración. Acto seguido le entrega un trozo de piedra: el niño comienza a describir una ciudad, habla de sus gentes, de cómo van vestidas, de los alimentos y comidas que ve en un mercado. Se refiere también a rituales religiosos y a un incendio de proporciones descomunales. La piedra era de Pompeya. Era imposible que el niño conociera ni siquiera parte de la historia de aquel lugar.

La piedra que anunció la muerte

En 1930, en Nueva Jersey, una mujer encuentra una piedra con forma de corazón cerca de su casa. Es tosca, no ha sido trabajada ni pulimentada, pero le recuerda mucho a un corazón. Decide cogerla para entregársela a su hija de cuatro años. En el momento en que la toma con la mano, percibe un fogonazo de calor y un fuerte impacto mental:

> «No entendía qué pasaba. La piedra me molestaba pero me sentía incapaz de tirarla al suelo. De pronto, como si estuviera visualizando un recuerdo, vi la imagen nítida y clara de un niño de siete u ocho años. Percibí claramente cómo estaba vestido. Estaba muerto y semicubierto de hojas y tierra. Pasados unos segundos me di cuenta de que se trataba del hijo de la señora Kane.»

La sensitiva, preocupada por la visión, decide visitar a la señora Kane, a quien conoce de sus reuniones parroquiales de los domingos. Tiene miedo, pero no desea preocupar a la mujer con su visión, por otra parte la primera en muchos años, puesto que de niña había tenido alguna otra.

Cuando la señora Kane abre la puerta de su casa mira horrorizada la piedra corazón que todavía está en la mano derecha de su amiga. Se cubre la boca horrorizada. La piedra pertenece a su hijo y hace más de una hora que debía haber vuelto de jugar con sus amigos.

Dos días después fue hallado el cadáver del niño. La sensitiva, pese a sus visiones, no pudo localizar en qué zona del bosque estaba el muchacho perdido.

¿Existe una memoria energética?

Los psicómetras afirman que ellos en realidad no ven nada, no viajan al pasado o al futuro, sino que traducen la energía que poseen todos los objetos en sensaciones e imágenes. Defienden la teoría de que un elemento, incluso el más inerte, es una fuente de energía que realiza emanaciones a su alrededor impregnando el resto de los objetos, personas e incluso animales. Cuando lo tocan conectan con el objeto y, por extensión, con la vibración de su poseedor. Ahora bien, que una piedra nos «hable» del pasado puede tener su lógica, pero ¿de dónde sale la información que se refiere al presente? ¿Cómo «sabía» la piedra corazón dónde estaba el niño y cuál era su estado?

¿Psicometría en los pies?

La mayoría de psíquicos precisan de la palma de sus manos para realizar una conexión psicométrica, sin embargo en 1979, un carpintero de Canadá demostró que con los pies era más que suficiente.

Nuestro hombre se encontraba dando un paseo por Alejandría, en Egipto. Caminaba con normalidad por un espacio abierto e iba conversando amigablemente de temas triviales con sus acompañantes. De pronto la expresión de su rostro cambió. Se detuvo en seco y afirmó: «Nos encontramos justo encima de la parte superior del palacio de Cleopatra.» Podría haberse tratado de una broma, dado el lugar en el que estaban con sus acompañantes, pero el carpintero no se conformó con marcar la localización. Cerró los ojos y realizó una detallada descripción de la estructura del palacio, así como un mapa para posteriores excavaciones. ¿Fue un sutil engaño? El tiempo nos lo dirá.

Presagios a través de los pies

- **1980 - Carl Macmullan. Londres.** Percibió en sus pies una quemazón mientras cruzaba una calle, al tiempo vio la imagen de un hombre que se suicidaba disparándose un tiro en la boca. Bastantes metros más abajo y justo en ese momento se producía el terrible hecho en un tren suburbano, cuyo túnel pasaba justo bajo la calle en la que se encontraba el psicómetra.
- **2004 - Frederick Young. Indonesia.** Este turista británico se encontraba en un bar cercano a Kuala Canghoy con su novia. Estaba descalzo cuando percibió lo que él denominó un fogonazo en los pies. De pronto visualizó una enorme ola y vio miles de personas que morían ahogadas. Al día siguiente se produjo el devastador tsunami. Kuala Canghoy fue una de las zonas más devastadas y con mayor número de víctimas.

Gerard Croiset: el gran psicómetra

Uno de los personajes más controvertidos al tiempo que temidos por sus capacidades psíquicas y psicométricas fue el holandés Gerard Croiset, quien en la década de los años cuarenta comenzó a tener fama en los Países Bajos como médium, y veinte años después, tras haberse sometido a numerosas investigaciones y pruebas psiquiátricas y psíquicas en el ámbito universitario, se había convertido en una celebridad.

La tarde del 22 de febrero de 1961, una niña estadounidense, Edith Kiecorius, desaparece en misteriosas circunstancias. Tres días después su caso es público y causa gran revuelo social. El 25 de febrero un funcionario de las líneas aéreas holandesas (KLM) localiza a Croiset. Le ofrece viajar a EE UU para que, utilizando sus facultades psíquicas, localice a la niña.

Croiset no se niega a colaborar pero afirma que no desea viajar a EE UU ya que si lo hace, puede perder parte de sus capacidades debido a la emoción que le supone el viaje. A cambio solicita que se le envíe a Holanda un mapa de la ciudad de Nueva York, así como algunas prendas de la niña y una fotografía. Procedería a concentrarse con dichos «testigos» y ofrecería la máxima información que pudiera captar.

Croiset estaba explicando los detalles de su participación en el caso cuando de pronto se interrumpe en su diálogo y le cuenta a su interlocutor que la niña ha muerto y que el cuerpo...

Gerard Croiset, el gran psicómetra holandés, abrió la puerta de la fama a numerosos psíquicos europeos.

> «...Se encuentra en un edificio alto que tiene un cartel publicitario en la parte superior. Veo una construcción que está cerca de un ferrocarril elevado y también cerca de un río.»

El interlocutor de Croiset estaba anonadado. Tomaba notas de todo cuanto el psicómetra le estaba diciendo sin tener tan sólo ante sus ojos la fotografía de la niña ni haber tocado sus prendas de ropa. En un esfuerzo de concentración el vidente va más allá:

> «El hombre que la ha asesinado no tiene una gran estatura. Su edad es de alrededor de 54 años. Es un hombre europeo, creo que del sur, y lo veo vestido con prendas grises.»

Días después de aquella conversación Croiset recibe los materiales que había solicitado como testigos para poder llevar a cabo la experiencia de videncia psicográfica. Los sostiene en sus manos, se concentra profundamente y amplía los datos que ya había dado por teléfono:

> «El edificio en el que se encuentra la niña tiene entre cuatro y cinco pisos. En el segundo percibo una sensación extraña que no sé ni puedo describir, pero que me impacta... El hombre que ya describí es mayor de lo que dije, quizá cuatro o cinco años más. Su cara es pequeña, sus facciones están muy marcadas y tiene tonos rojizos de piel...»

Tras aquellas descripciones, y como por casualidad, la policía, que todavía no había hablado con Croiset y que seguía una pista de la investigación, llegó a un edificio de color gris que estaba situado cerca de las vías de un tren y del río Hudson. Los investigadores subieron hasta la cuarta planta y hallaron el cuerpo de la niña. Tras nuevas investigaciones se logró dar con el inquilino de la vivienda que finalmente fue detenido. Ciertamente era europeo, aunque no del sur, como había dicho Croiset, sino de Gran Bretaña.

Pese a todas las similitudes entre las predicciones de Croiset y la realidad, nunca se reconoció de forma oficial su intervención en el caso. Sin embargo, fue uno de los pioneros y marcó escuela.

4

¿Sensitivos al servicio del espionaje?

Las hazañas psíquicas de Croiset no han sido las únicas. Muchas personas poseedoras de un sexto sentido afirman tener contactos con las fuerzas y cuerpos de seguridad en todo el mundo. ¿El motivo? Los supuestos poderes paranormales que ponen a disposición de los servicios de espionaje y seguridad. ¿Qué hay de cierto en todo ello?

Debemos remontarnos a la década de los cincuenta, para ver que los servicios de información y seguridad americanos, pusieron en marcha un ambicioso proyecto de espionaje paranormal.

En aquel tiempo el espionaje americano tuvo la filtración de que sus homólogos rusos, desde la Academia de Ciencias de Moscú, estaban preparando a personas sensibles para que actuasen como psíquicos. Algo así como espías paranormales.

Psíquicos en la URSS

La información aseguraba que el bloque soviético disponía de varios hombres y mujeres que estaban en condiciones de interceptar telepáticamente mensajes, es decir, leer el pensamiento, mientras que otros poseían la facultad de mover objetos a distancia con el simple poder de su mente. ¿Ciencia ficción? ¿Un simple bulo del contraespionaje? Lo cierto es que Nina Kulagina, en los años sesenta, demostró ante el KGB soviético tener poderes telecinéticos. Ciertamente podía mo-

La sensitiva soviética Nina Kulagina haciendo una demostración de sus poderes psíquicos al provocar la levitación de un objeto encerrado en una cámara estanca de observación.

ver, con la influencia de su mente, pequeños objetos como agujas y botones, y otros más voluminosos pero igualmente ligeros como un naipe o la vitela de un puro. Aquello era preocupante para los americanos: ¿había mejor arma que la mente de un psíquico?

Psíquicos adiestrando a militares

A finales de los cincuenta y tras aquellas informaciones, la CIA decide comenzar a entrenar a militares para que desarrollen sus facultades psíquicas. Su profesor debía ser Ingo Swan, un dotado cuya especialidad, entre otras muchas capacidades, era la llamada visión remota. Swan podía, mediante una concentración o a través de la práctica de la psicometría, detectar qué estaba pasando a cientos de kilómetros de distancia.

La misión de Swan era adiestrar a los militares que destacasen en capacidades psíquicas, aquellos que fueran más sensibles, tuvieran mayor capacidad de concentración y de proyección mental. El objetivo era que, como él, los militares tuvieran además la capacidad de proyectarse fuera del cuerpo, llevando su mente, para otros «partícula del alma», a los escenarios deseados, obteniendo información de ellos. Se desconocen los resultados que obtuvieron. Es de suponer que fueron notables, ya que el equipo de investigación fue mantenido con los presupuestos del ministerio de defensa durante más de 30 años. Como es lógico, a nadie (y mucho menos a la CIA) le interesa divulgar estas noticias. Hoy con un ordenador y un poco de habilidad todos estamos vigilados, pero hace cincuenta años las cosas no eran tan simples. Teóricamente, desde la década de los 80 los médium y sensitivos ya no trabajan para el gobierno...

Los detectives psíquicos en España

La primera vez, al menos de forma oficial, que en España se habla de la extraña vinculación entre la investigación criminal y los sensitivos psíquicos, es a través de un tratado que aparece en 1948 de la mano del Catedrático de Filosofía Antonio Álvarez, quien en su obra *Lo parapsicológico* menciona la necesidad de establecer parámetros de colaboración entre las fuerzas policiales y las personas dotadas de capacidades psíquicas anómalas.

Es casi una leyenda urbana, pero lo cierto es que son muchos los investigadores que han aportado pruebas de la existencia de contactos entre psíquicos y videntes españoles y las fuerzas de seguridad.

Buscando psicovidentes

Uno de aquellos encuentros se produjo en la Sociedad Española de Parapsicología hace ya algunos años. Al parecer, las fuerzas de seguridad deseaban contar con el asesoramiento de los miembros de la sociedad de investigación para desarrollar los poderes psíquicos que tenían algunos «psicovidentes».

Desde un punto de vista oficial se niegan dichas acciones. Sin embargo, a principio de los años noventa trascendió la noticia: algunos miembros del entonces llamado CESID, de forma puntual y para casos muy complejos, habían recurrido a los servicios de psíquicos. Al parecer, en el caso del secuestro del industrial Emiliano Revilla, la desesperación policial llegó a tal extremo que recurrió a la videncia.

El sacerdote radiestesista

Una de las personas que de forma oficiosa pero no oficial, se supone que ha colaborado más con la policía en España, es el sacerdote y parapsicólogo José M.ª Pilón. La especialidad de este jesuita es la radiestesia. Armado con un simple péndulo y unos mapas, nos lo podemos imaginar trabajando, codo con codo, con la Guardia Civil.

En 1977 la familia de Javier Ybarra solicitó la colaboración de José M.ª Pilón, y la policía autonómica vasca no puso demasiadas pegas. Las pistas de que disponía hasta el momento eran poco claras, y por probar no se perdería nada. Pilón, rodeado de agentes de la policía y la Guardia Civil, desplegó un plano, sacó uno de sus péndulos y comenzó a preguntarle a su herramienta por el secuestrado. El péndulo marcó varios lugares. Los agentes siguieron las pistas, y lo cierto es que si bien no dieron con el escondite, pasaron muy cerca de él.

Insistimos: oficialmente, la policía no tiene vinculación con los videntes ni con los psíquicos. Sin embargo, en más de una ocasión, siempre de forma no oficial, se ha contado con su colaboración. Lo malo (porque este tema también tiene un punto negativo), es que muchos falsos videntes u otros que lo son de verdad pero aman la notoriedad, han afirmado la realización de colaboraciones policiales cuando no eran ciertas, desprestigiando en general la temática y el sector.

5

Los asombrosos poderes de Peter Hurkos

Pese a la existencia de muchos más, hasta la fecha sólo dos personas han pasado oficialmente a la historia como psicodetectives. Gerard Croiset fue uno de ellos, pero el caso más espeluznante, tanto en técnica como en resultado, fue el de Peter Hurkos, aunque ciertamente sus hazañas están a caballo entre el misterio y el espectáculo, pese a todo está considerado como uno de los grandes psicodetectives del mundo.

El hombre que captaba lo imposible

La historia de este singular hombre ya es curiosa en su infancia. Hurkos nace con una anormalidad en el cráneo, algo así como una pequeña protuberancia en la coronilla que muchos verán como un signo de iluminación (pues la coronilla está considerada como la zona por la que se expande la energía de lo espiritual en el ser humano), y la mayoría como una simple tara. No se tiene constancia de que en su infancia fuese un gran vidente, si bien algunos datos apuntan a que ya de pequeño tenía la capacidad de tener visiones.

Sin embargo, la parte más moderna de sus poderes nace en 1943, cuando Hurkos está prisionero en un campo de concentración ale-

Peter Kurkos demostró grandes habilidades psíquicas como detective. Gracias a él se detuvo al famoso estrangulador de Bostón.

mán. Allí, de forma fortuita, cae desde un andamio que está a unos diez metros del suelo y se golpea fuertemente la cabeza, quedando en coma. Cuando Hurkos recupera el sentido se siente desconcertado. Incluso llegó a asegurar:

> «Las cosas que veía no existían. La percepción de mi entorno era totalmente distinta a antes del accidente. Creí haber enloquecido. Sin embargo, todo parecía normal.»

Viendo otros mundos en su mente

La salida del coma supuso para Hurkos la apertura de nuevos sentidos, de nuevas formas de percibir la realidad, pero no la tangible, sino aquello que sucedía más allá de los sentidos. Al parecer, el accidente y el coma despertaron en él un sexto sentido y sus capacidades de intuición que, al llegar a la adolescencia, como suele ocurrir en la mayoría de los casos, se habían aletargado.

Hurkos rompía las barreras. Con su ente podía viajar al pasado más remoto y al futuro. Contaba que cierto día, estando en la habitación, se quedó mirando a su compañero de cuarto y de pronto le dijo: «¿Por qué le robaste el reloj de oro a tu padre?». El otro enfermo, perplejo, sólo pudo asentir y reconocer aquel hurto.

En otra ocasión, mientras Hurkos paseaba por los pasillos del hospital esperando terminar de recuperarse, se cruzó con un agente del gobierno británico que había padecido un accidente. Se saludaron y, tras las presentaciones, el sensitivo parecía extrañamente conmo-

Los casos que le dieron fama

- Los padres de una niña desaparecida acudieron a la consulta. Le entregaron a Hurkos una prenda de ropa de la niña, y él determinó que la estaba viendo caminado por la orilla de un canal, cayendo al agua y muriendo ahogada. La policía la encontró en el lugar determinado por el sensitivo.
- En 1951 Scotland Yard recurre a Peter Hurkos para que les ayude a encontrar la piedra de la Coronación de Escocia que había sido robada de la Abadía de Westminster. Dicha piedra estaba normalmente situada en el sillón de coronación en el que se sentaban los reyes de Inglaterra el día que eran nombrados soberanos. La piedra no sólo fue recuperada sino que Hurkos determinó la forma en que se había producido el robo, y se permitió el lujo de realizar un retrato robot de los autores del robo. El retrato fue publicado en todos los diarios y la joya fue devuelta.
- En 1958, cuando Hurkos ya está en EE UU sometiéndose a numerosas investigaciones sobre sus poderes, un juez de Florida recurre al vidente para que aclare el caso del asesinato de un taxista sobre el que no hay suficientes pistas. Hurkos se limita a entrar en el taxi, se concentra y acto seguido indica el nombre del asesino, su profesión y algunos detalles físicos que permiten, semanas más tarde, su detención.

vido. Cuando otros enfermos le preguntaron qué sucedía, él se limitó a decir que estaba profundamente apenado puesto que había visto la ejecución del inglés. Debía acontecer en dos días. Así fue, el soldado británico fue ejecutado mediante fusilamiento tal como Hurkos lo había descrito.

Hurkos y el estrangulador de Boston

Hurkos todavía no lo sabía, pero sería más famoso y los casos referidos se convertirían en simples anécdotas... Durante los años 1962 y

1964, un total de trece mujeres fueron asesinadas mediante estrangulamiento. La mayoría de ellas, además, fueron violadas. La policía estaba desesperada sin tener una prueba clara sobre el asesino. Se habían creado todo tipo de perfiles explicativos pero nada era concluyente. Así las cosas, y cuando ya había 11 cadáveres, el fiscal general de Boston decidió solicitar ayuda a Hurkos.

El vidente se mostró ávido de colaborar, y se limitó a pedirle a la policía diferentes objetos hallados en los lugares del crimen, como pañuelos, medias, etc. Se le entregaron 300 fotografías alusivas al caso y toda la información relativa a los crímenes.

Describiendo los crímenes telepáticamente

Las acciones de Hurkos eran sorprendentes. Olía la ropa, dormía con ella, situándola en la cabecera de la cama o bajo la almohada, y al despertar efectuaba sus veredictos. Era capaz de describir detalles sobre las víctimas que la policía desconocía. Hablaba incluso del asesinato y de cómo se había producido, aportando detalles escabrosos que le venían a la mente con sólo tocar las prendas de ropa o mirar fijamente la fotografía. Pese a todo, las fuerzas de seguridad dudaban de Hurkos, así es que intentaron inducirle a error colándole fotos que no eran de aquellos crímenes. Hurkos las detectó, lo que le valió la confianza absoluta de la policía.

Hurkos encuentra al criminal

Pasadas unas semanas, Hurkos tenía un dictamen. Había creado el perfil del psicópata. La policía creía que debía buscar a un fetichista aquejado de un complejo de Edipo o con una patología similar. Hurkos lo confirmó, añadiendo que dicha persona estaba obsesionada por los zapatos, que medía alrededor de 1,70 m de alto y que su peso oscilaba entre los 55 y los 60 kilos. Matizó que debían buscar a alguien con una nariz puntiaguda que además tenía una cicatriz en el brazo izquierdo y una extraña señal en el pulgar.

Al cabo de unos días la policía, gracias a un hecho fortuito, detiene a un hombre que se le ha visto merodeando sospechosamente una casa. Su descripción se correspondía con la que había emitido Hurkos: obsesionado por los zapatos tal vez no, pero sí que se dedicaba a venderlos a domicilio. El detenido poseía además un complejo historial psicológico. Fue internado en un psiquiátrico. Para Hurkos el caso estaba cerrado.

Aparece otro estrangulador

Meses después de la detención del estrangulador de Boston, la policía detiene a otro hombre, su cargo es la violación. Es sometido a numerosos análisis psiquiátricos y se determina que debe ingresar en un centro psiquiátrico. Allí conoce al primigenio estrangulador. Seguramente fruto de las conversaciones entre los dos, obtiene información sobre el caso de los asesinatos en serie, y el nuevo detenido declara que ha sido él el autor de todos los crímenes que se le habían adjudicado al estrangulador de Boston. En definitiva dice ser él el auténtico estrangulador.

La policía efectúa una nueva investigación. Los datos que aporta el enfermo psiquiátrico parecen ser auténticos y, por si ello fuera poco, determina dónde hay dos cadáveres más. Finalmente la investigación da un vuelco y la policía determina que el auténtico estrangulador es éste segundo personaje, sin embargo, Hurkos discrepa. Afirma que el estrangulador es el que se capturó primero.

La prueba del ADN dio la razón a Hurkos

A raíz de la nueva detención y de que la policía dio el caso por cerrado, muchas personas afirmaron que el descubrimiento efectuado por Petert Hurkos no era más que un fraude y que el primer detenido estaba pagando el error del vidente. Sin embargo, años después la policía reabrió el caso y realizó una serie de pruebas genéticas. La más concluyente fue que los restos de esperma hallados en Mary Sullivan, una de las mujeres violadas y asesinadas por el estrangulador de Boston en uno de sus primeros casos, no coincidían genéticamente con las muestras de ADN del segundo estrangulador, sino que todo parecía indicar que eran del primero. Hurkos tenía razón. El segundo detenido no era más que alguien ansioso por tener todo el protagonismo de la historia, aunque posiblemente era culpable de dos de los asesinatos, los últimos, que ciertamente seguían una estética muy similar a los primeros.

6

La hipnosis, ¿un poder mental?

¿Se puede alcanzar un estado en el que, siendo nosotros mismos, no tengamos conciencia de ello y además seamos capaces de descubrir cosas que en estado de lucidez ignoramos? Por muy fantástico que parezca, sí, existe ese estado y se consigue mediante la hipnosis.

Sin embargo, ¿qué es la hipnosis? Podríamos decir que se trata de un estado de conciencia diferente, en el que tenemos una gran sensibilidad que nos permite focalizar nuestra atención sobre cuestiones muy concretas. Desconectamos de los sentidos, que son los que nos acercan al mundo, y podemos entrar en nuestro interior, pasear por nuestro inconsciente.

La hipnosis no tiene ninguna carga religiosa ni ha crecido al amparo de ninguna creencia esotérica. Desde sus inicios ha sido empleada por médicos, por lo que cuenta con gran credibilidad y prestigio.

Beneficios de la hipnosis

En general, la hipnosis se emplea en dos sentidos: para suprimir conductas que no son satisfactorias e introducir otras nuevas, o para obtener más información sobre uno mismo. En el primer grupo se situarían los tratamientos destinados a dejar de fumar, suprimir tics nerviosos, conseguir eliminar algunos defectos del habla... En este sentido, la gran novedad con la que se está experimentando con mucho éxito es el aprendizaje de lenguas. Algunos especialistas creen que se puede introducir en la mente de una persona una lengua que no conoce por esta vía. Esto abre un abanico increíble de posibilidades de aprendizaje que seguramente se irá desarrollando.

El hipnotizado también puede ahondar en su vida, en experiencias olvidadas de la infancia que tal vez son la clave para solucionar problemas del presente. Los que creen en la reencarnación están seguros de que, de esta forma, se puede acceder a vidas pasadas. También es muy útil para superar fobias, miedos muy enconados que no se sabe de dónde proceden y que suelen producir un bloqueo en estado consciente. Normalmente ni siquiera puede hablar de ellos. Pero mediante la hipnosis se pueden conseguir grandes mejorías.

La hipnosis puede incluirse en muchos tratamientos terapéuticos. Sólo está contraindicada en casos de esquizofrenia y de histeria.

Se cree que en un futuro será posible encontrar aún más aplicaciones. De hecho, algunos médicos ya están intentando operar a sus pacientes sin anestesia, después de haberlos sumergido en un estado hipnótico. Ésta es una de las aplicaciones que en la actualidad se está estudiando. En un estado hipnótico, se puede dejar de sentir dolor. Y eso sería muy útil para pacientes con enfermedades crónicas.

En cuanto a los efectos negativos, se ha hablado mucho y en general sin ningún fundamento. Nadie puede hipnotizar a otra persona si ésta no se deja. Tampoco se puede obligar al paciente a hacer algo que vaya en contra de sus costumbres o de su escala de valores. Si esto ocurriera, se despertaría inmediatamente. Si, por ejemplo, un terapeuta dejara a su paciente permanentemente hipnotizado, éste se dormiría y luego, por sí mismo, se volvería a despertar.

En el diván del hipnotizador

¿Cómo se alcanza la hipnosis? Existen muchos mitos y la mayoría no suelen adscribirse a la realidad. El hipnotizador inducirá al paciente a ese estado, pero él tendrá que poner de su parte. A veces, cuesta un poco y hace falta más de una sesión. La hipnosis se divide en tres fases que van desde una pequeña concentración hasta una profunda. Alcanzar la primera es muy fácil y rápido para casi todo el mundo. Se tardan unos cinco minutos, diez a lo sumo. La fase 2 es más larga y puede prolongarse hasta 20 minutos. La tercera es la más difícil, puede suponer horas, incluso después de que el paciente ya la haya alcanzado en otras sesiones. En muchos casos es imposible llegar a ella durante la sesión.

La historia del péndulo

Se cree que la hipnosis es un método ancestral que se ha practicado por todas las civilizaciones. Ya en *La Ilíada* parece que se menciona, y muchos rituales chamánicos tienen componentes de hipnosis.

De todas formas, la hipnosis en la medicina moderna nace con Franz Anton Mesmer (1734-1815). Este médico fue el primero en relacionar ciertas dolencias físicas con problemas psíquicos, y también planteó la posibilidad de trascender la conciencia del individuo y conectar con la energía del Universo. Fue una visión revolucionaria que abonaría el terreno para la hipnosis.

Freud fue uno de los grandes usuarios del péndulo aplicado a la hipnosis. El psicólogo afirmaba con la hipnosis abra las puertas de la mente.

James B. Braid (1795-1860) sería el encargado de cultivar ese terreno. En 1841 descubrió el hipnotismo. Se dice que era capaz de hipnotizar a sus pacientes mirándoles fijamente a los ojos. Muchos creen que seguramente se trataba de una fase poco profunda, pero sin duda hay que agradecerle que sentó las bases de esta técnica.

El francés Hippolyte Marie Bernheim (1840-1919) es el que estudia la hipnosis desde un concepto médico y psicológico. Está convencido de que el poder de sugestión se puede emplear para convencer a un paciente de que se puede curar. Y una vez hecho esto, es mucho más fácil que lo consiga.

Sigmund Freud (1856-1939), es, sin lugar a dudas, el padre de este método: el que lo hizo conocido mundialmente y lo extrajo de la marginación. Para él era una forma de lograr que sus pacientes conectaran con su inconsciente y así pudieran conseguir información que les serviría para solventar sus problemas.

→

En 1921, el ginecólogo Oettingen intentó aplicar la analgesia: no sentir dolor durante un proceso hipnótico. Llevó este proceso a su campo y consiguió así los primeros partos sin dolor. A partir de la segunda mitad del siglo XX, varias prestigiosas comunidades científicas de Estados Unidos y Reino Unido empezaron a recomendar este método para terapias psicológicas. Es un gran paso para esta técnica que durante mucho tiempo no gozó de credibilidad.

Se ha de tener en cuenta que la hipnosis no deja de ser un ejercicio que se va aprendiendo con la práctica. El paciente poco a poco descubre cómo relajarse y acceder a ese estado inducido. En muchos casos se recomienda que en casa se lleven a cabo ejercicios de relajación con la voz del hipnotizador para ir «entrenándose». También se puede llegar a la hipnosis mediante la ingestión de ciertos fármacos.

La hipnosis es, por tanto, un método de terapia y de conocimiento personal que no deja nunca de sorprendernos. La razón es clara: nos demuestra que el poder mental es muy superior a lo que imaginamos. Es que ése es sin duda el reto de la ciencia del siglo XXI: llegar a conocer en profundidad la mente humana.

7

Los viajes astrales

La idea de librarnos de nuestro cuerpo momentáneamente y poder viajar con nuestro espíritu, alma o yo más extracorporal resulta seductora. Pero no es una fantasía. Es un hecho constatado por todas las culturas conocidas. En casi todas las religiones antiguas o modernas se habla de este tipo de experiencia. En la actualidad este tránsito espiritual recibe el nombre de EEC (experiencias extracorpóreas), pero a lo largo de la historia han recibido muchos apelativos.

Viajes del alma en la antigüedad

En el antiguo Egipto, por ejemplo, se representaba como un pájaro que tenía rostro humano y que era llamado Ba. En varios escritos hindúes se habla de fenómenos similares. Asimismo, en la Biblia también encontramos algunos casos. De todos modos, dentro del cristianismo nos tendríamos que fijar sobre todo en la figura de Santa Teresa de Jesús. Sus estados de éxtasis místicos bien podrían corresponderse con los viajes astrales.

En casi todas las tribus amerindias se encuentran rituales parecidos. Se cree que es probable que el empleo de ciertas drogas tuviese como objetivo conseguir un estado de conciencia propicio para el viaje astral. Es el mismo estado que se alcanza mediante la meditación, pero ésta exige mucha más práctica.

¿En qué consiste un viaje astral?

La definición de viaje astral es ciertamente compleja. Se trata de liberar al espíritu del cuerpo para que éste pueda entrar en su dimensión. De todas formas, durante todo este proceso encontraremos dos corrientes muy marcadas: la científica, que es capaz de definir este fenómeno, y la esotérica o religiosa, que le da un significado a la experiencia. El viaje astral consiste en la separación del cuerpo astral del físico, de tal forma que no existe intervención ni de la mente ni de las emociones. Según los expertos, es una sensación semejante a la que se produce con la muerte clínica. Los individuos que han vuelto a la vida después de una experiencia así describen una situación semejante a la de un viaje astral. Pero no es necesario llegar tan lejos para separarse temporalmente del cuerpo.

De hecho, muchos investigadores creen que los viajes astrales se dan en muchos casos de forma natural, durante el sueño. Pero existen fórmulas para realizarlos de forma consciente y controlada. Éste es uno de los puntos más sorprendentes: hay personas que los realizan sin querer y otras que, en cambio, tienen muchos problemas para conseguir llevarlos a cabo por mucho que busquen el estado mental ideal. En general, el viaje astral se realiza conscientemente, fuera del sueño, justo en el momento preciso de relajación previa al sueño. Varias técnicas sirven para poder llevarlo a cabo y requieren cierta preparación y en muchos casos un buen número de intentos.

Las personas que han pasado por experiencias extracorporales aseguran que se sienten como si el espíritu se separara del cuerpo. Es muy difícil describir esta sensación que puede variar dependiendo de cada individuo, pero lo cierto es que hay características que, aunque no son imprescindibles, suelen darse en la mayoría de los casos. Por ejemplo, es posible sentir un mareo por la sensación de vaivén. También es común experimentar la sensación de elevación, como si nos estuvieran subiendo con una camilla regulable hacia arriba. Una vez el individuo se separa de su cuerpo, puede observarlo en la cama. Ésta es una de las sensaciones determinantes de que se está realizando un verdadero viaje astral y de que no se trata de otro estado de la conciencia.

A partir de ese momento, se observan todos los detalles, y en muchos casos los colores parecen aún más vivos. Es normal que en un principio se experimente con el nuevo estado, atravesando puertas, tocando objetos... Después de ese momento de adaptación el espíritu puede ir a cualquier parte, a cualquier época, a cualquier dimensión. No es una decisión mental, es algo que se decide de forma casi intuitiva.

El viaje de Jung

El famoso psicólogo suizo, en su obra *Recuerdos, Sueños y Pensamientos,* relata su experiencia extracorporal acontecida en 1944. No la vivió de forma provocada sino tras padecer una grave enfermedad.

«Me pareció estar en el espacio... Lejos de mí veía la esfera de la Tierra sumergida en una luz azul intensa. Veía el mar azul profundo y los continentes. Bajo mis pies, a lo lejos, estaba Ceilán y ante mí estaba el subcontinente de la India. Mi campo de visión no abarcaba toda la Tierra, sin embargo, su forma esférica era claramente visible, y sus contornos brillaban plateados a través de la maravillosa luz azul...»

¿Para qué sirve el viaje astral?

Dependerá de la perspectiva desde la que abordemos la cuestión. Si se trata de un punto de vista chamánico, por ejemplo, se cree que el viaje astral permite mejorar algunos aspectos físicos. El espíritu, libre del cuerpo, puede encontrar la solución para algunas enfermedades. Desde la perspectiva parapsicológica, permite conectar con el más allá y obtener recursos adecuados para las necesidades anímicas de cada persona. Desde el esoterismo es una forma de crecimiento personal. Se puede estar en dos lugares al mismo tiempo y eso permite almacenar más experiencias. También se puede establecer contacto con personas fallecidas o con anteriores existencias, si se cree en la reencarnación.

El objetivo, en muchas ocasiones, se encuentra en el mismo viaje, independientemente de cuál fuera la idea previa. Todo el mundo que lo ha practicado coincide en que se trata de una sensación profundamente placentera que aporta siempre una visión mucho más completa y positiva de la vida.

Muchas preguntas surgen de esta experiencia: ¿nos separamos verdaderamente del cuerpo o sólo lo imaginamos? ¿Dónde viaja nuestro espíritu? ¿Existe el mundo en el que nos movemos con él? Los defensores de esta técnica aseguran que consiguen llegar a una dimensión diferente de la que vivimos actualmente. Evidentemente, no hay pruebas, pero incluso los más escépticos creen que es una técnica muy reconfortante.

Así se realiza el viaje astral

Como se ha dicho, en muchas tribus emplean dosis concretas de drogas como la ayahuasca o el peyote, que consiguen rápidamente ese estado de conciencia. Pero hay formas más legales de separarse de la materia. En 1958 Robert Monroe estableció un método eficaz, aunque en muchas ocasiones se ha de probar varias veces para que sea efectivo. Se conoce como técnica Monroe y requiere hacer lo siguiente.

En primer lugar se tiene que estar en una habitación cálida con luz tenue o a oscuras. La ropa debe ser cómoda y es preferible ir desnudo. No se puede llevar joyas ni ningún objeto metálico.

La cama o el lugar elegido para estirarse debe ser cómodo y uno debe yacer con la espalda hacia abajo y la cabeza orientada al norte.

A partir de ese momento se deberán hacer ejercicios de relajación. Basta con una respiración profunda en la que el aire llegue primero al abdomen, después a los pulmones y, tras esperar un poco, se espire por la boca. La técnica elegida es lo de menos, lo importante es encontrar alguna forma de relajarse. A partir de ese momento, deberíamos concentrarnos en una imagen que nos permita conciliar el sueño, y justo cuando estemos en el estado de duermevela, ése en el que no se distingue si estamos dormidos o no, deberíamos sentir que nos sumergimos en la oscuridad de la habitación.

En ese momento, el practicante de este viaje debería concentrarse en un punto imaginario, situado a 30 centímetros. El punto se irá separando y ampliándose hasta dibujar una línea paralela a nuestro cuerpo a unos dos metros del mismo. Si todo va bien, en ese momento sentiremos unas vibraciones que nos indican que estamos a punto de iniciar el viaje. Para conseguir elevarnos, deberíamos pensar en el placer de flotar y poco a poco notaremos que experimentamos esa sensación. A partir de aquí el viaje ha empezado y puede conducirnos a lugares insospechados. Regresar es mucho más fácil. Basta con desearlo y, si hay alguna dificultad, volveremos de inmediato con sólo juntar los dedos pulgar, índice y corazón. El viaje astral no conlleva ningún problema para la salud. La única contraindicación es para aquellas personas que padezcan algún problema psicológico (porque la sensación puede llegar a ser muy intensa) y los que tengan algún problema cardíaco (porque se altera el ritmo de palpitaciones).

¿Es el viaje astral una alucinación?

Esta es la teoría que apareció hace un par de años en la revista *Nature*, donde se planteaba la hipótesis de que las llamadas proyecciones astrales en realidad se deben a una anomalía en el cerebro.

La investigación fue llevada a cabo por los neurólogos Olaf Blanke y Stephanie Ortigue, quienes estudiaron las sensaciones extracorpóreas que podía sentir un paciente al ser estimulado de forma eléctrica en distintas regiones del cerebro. Las pruebas dieron como resultado que se percibían sensaciones como ligereza, pero también de hundimiento en la cama. En ocasiones el sujeto sentía que estaba cayendo al vacío y a veces veía efectos lumínicos.

La conclusión a la que llegaron los investigadores es que en algunas de las personas que decían vivir los fenómenos vinculados con la EEC en realidad podían tener un defecto bioeléctrico de carácter cerebral.

En 1952 el sociólogo Hornell Hart, mediante una encuesta a 150 alumnos de la Universidad de Duke, determinó que al menos el 30 por ciento de los encuestados habían percibido alguna vez en su vida una cierta ligereza. Incluso habían logrado ver su cuerpo desde el exterior, una de las sensaciones que acostumbran a describir quienes aseguran practicar el viaje astral.

8

Las fotografías del misterio

¿Es posible fotografiar lo que los ojos no ven? ¿Existen personas con capacidades psíquicas tan fuertes como para impresionar un rollo fotográfico?

Lo que el objetivo no ve

Es cierto que en los inicios de la fotografía se realizaron todo tipo de fotomontajes, a cual más espectacular para crear un cierto halo de sobrenaturalidad a las cámaras fotográficas. Aparecieron documentos que plasmaban seres increíbles como hadas, gnomos o duendes. La gran mayoría eran falsos, y otros se siguen discutiendo en la actualidad. Pero yendo más allá, hubo quien le quiso dar una vuelta de tuerca al asunto. Si una cámara captaba lo que los ojos no veían, ¿podría una cámara, con su objetivo cerrado, captar lo que el ser humano sí veía?

La fotografía telepática

Fue Marcel Darget quien quiso demostrar que el poder de la mente era tan fuerte que podía lograr impresionar una placa fotográfica. Darget afirmaba que el pensamiento podía actuar sobre cualquier tipo de materia. Para demostrar su hipótesis encerró en un sobre opaco una placa fo-

Ted Serios intentando efectuar una fotografía psíquica. Bajo su imagen dos fotografías psíquicas en las que Serios logró captar a distancia, el escaparate de una tienda.

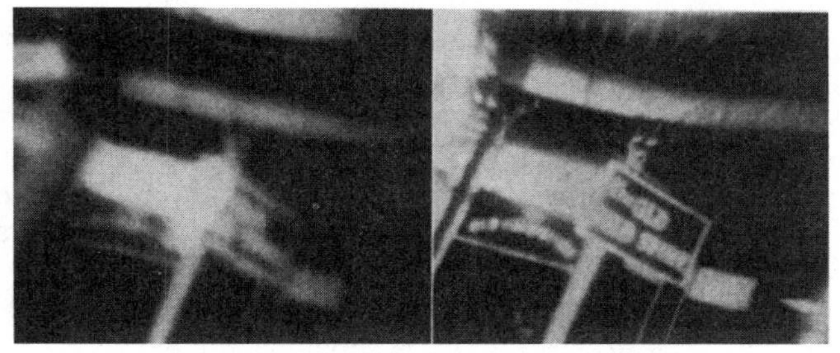

tográfica virgen. Acto seguido situó frente a sí una botella. Se concentró y durante una hora estuvo mirando la botella al tiempo que había situado la palma de su mano sobre la placa fotográfica. Cuando se reveló, la placa la fotografía mostraba el perfil de una botella.

El fenómeno de Ted Serios

La acción psíquica de Darget ha pasado bastante desapercibida en la historia de la fotografía psíquica, sin embargo en 1963 saltaría a la historia un hombre controvertido llamado Ted Serios, que muchos bautizaron como la «máquina fotográfica humana», y la mayoría como el «farsante borracho de la fotografía psíquica». Serios era un ascensorista de Chicago que un buen día se presentó en la redacción de la revista Life afirmando tener poderes psíquicos y ofreciéndose a demostrarlo. Lo primero que hizo fue situar ante sí una cámara fotográfica y concentrarse para obtener una imagen. El resultado fue una vista panorámica de la ciudad. Tras aquello se le pidió más y Serios, con una facilidad absoluta, sólo tenía que concentrar una imagen en su mente para impresionar el rollo fotográfico: imágenes de la reina de Inglaterra, de la gran pirámide o incluso de algunas personas conocidas por el círculo en el que Serios efectuaba sus demostraciones.

Al ser investigado el sensitivo pierde el poder

Conociendo las capacidades de Ted Serios, el doctor Jules Eisenbud, profesor de psiquiatría clínica de la Universidad de Colorado, se interesó por el psíquico. Le invitó a viajar hasta Denver para ser sometido en la universidad a una serie de pruebas. Serios acudió y lo cierto es que fue sometido a cientos de pruebas que justificasen qué pasaba en realidad para que el psíquico pudiera grabar una placa fotográfica. Lo malo de aquella investigación es que Serios, que hacía años que tenía problemas con el alcohol, no aguantó el ritmo de los análisis y comenzó a fallar. Según él, las pruebas le aburrían hasta tal punto que si bien al principio era capaz de plasmar fotografías con cierta rapidez, conforme pasaban los días tardaba varias horas en lograr una.

Los detractores de Serios aseguraban que éste era un fraude, y quienes creían ciegamente en él lo defendían indicando que el fallo del psíquico se debía a la falta de motivación y a la presión a que era sometido. Allan Brand, profesor de parapsicología, indicó que Ted Serios estaba perdiendo sus poderes porque le fallaba la concentración en lo que hacía. Según ese experto, la capacidad de Serios era un don natural que surgía de forma espontánea cuando no había presión, cuando el psíquico no debía concentrarse. Brand defendía la existencia de una «inspiración psíquica» y comparaba los fallos de Ted Serios como los de un poeta que es incapaz de crear un verso cuando, desde un laboratorio, se le exige dé rienda suelta a su creatividad.

Lo cierto es que tras aquellos fallos, el nombre de Ted Serios se vinculaba con el engaño. El psíquico terminó dándose de nuevo a la bebida y, si bien efectuó algunas demostraciones más, con frecuencia afirmaba que su capacidad se estaba terminando y que cuando intentaba sacar una fotografía percibía algo así como un velo que no le dejaba ver qué había en el otro lado. De hecho, sus últimas imágenes eran parecidas a velos o telas. Ted Serios pasó a la historia y finalmente cayó en el olvido.

Buscando el fraude sin hallarlo

Desde las primeras demostraciones de Serios los investigadores intentaron descubrir dónde estaba el truco. Buscaban qué tipo de artilugio tenía Ted Serios que provocaba la fotografía paranormal. En las primeras sesiones de fotografía psíquica, Ted Serios simplemente miraba a la cámara o situaba el objetivo de ésta sobre su frente o ponía la palma de su mano sobre el objetivo. No había pues sistema que falsificara las fotografías. En una segunda fase Ted Serios se ayudaba de un artilugio casero que él denominaba «gismo» y que era un cilindro de plástico o un simple rollo de cartón enrollado. Según el psíquico servía para que el sudor de su mano no ensuciase el objetivo. Los investigadores del fraude determinaron que en el «gismo» el psíquico escondía microfilms que realmente contenían lo que luego captaba la cámara. Sin embargo, en las pruebas se analizaba el «gismo» y no contenía nada sospechoso. Es más, los conocidos doctores G. Pratt e I. Stevenson, investigadores de la fenomenología paranormal, analizaron más de 800 sesiones fotográficas de Ted Serios y nunca hallaron nada sospechoso.

Rizando más el rizo, en determinadas sesiones Serios se permitía el lujo de realizar fotografías de un mismo objeto o situación pero desde distintos ángulos, como si su mente estuviera allí pero en movimiento. Los investigadores, además de verificar que no estaban siendo engañados con microfilmes manipulados, llegaron a la conclusión de que, en el caso de haberlo sido, habrían sido necesarios muchísimas mini diapositivas para lograr tal variedad de enfoques.

El espectacular caso de la familia Vielleux

A raíz de las negativas de Serios de seguir adelante con las investigaciones, el doctor Eisenbud, interesado por la temática, no tuvo más remedio que buscar nuevos fotógrafos psíquicos. Grande fue su sorpresa cuando descubrió que en Waterville, en el estado de Maine, había una familia entera cuyos miembros dominaban a la perfección la mediumnidad y el llamado sexto sentido.

Al parecer, el matrimonio Vielleux se reunía con sus hijos y sus esposas todos los fines de semana para conectar con el más allá. Según ellos, lo hacían por puro entretenimiento. Practicaban sesiones mediúmnicas con los más variados sistemas de contacto: ouija, escritura automática, contacto por voz, etc., y, cuando se aburrían, para romper la monotonía realizaban fotografía psíquica.

Fotografía psíquica, pero de difuntos

El cabeza de familia había oído hablar de Ted Serios y, cansado como estaba de realizar sesiones de mediumnidad en las que con su familia contactaban con todo tipo de entidades espirituales, decidió comprarse una cámara *polaroid* y probar suerte. Lo primero que hizo el señor Villeux fue acercarse con su cámara a un prado cercano, cerrar los ojos, concentrarse y hacer una fotografía. La imagen obtenida fue el paisaje al que habían enfocado, pero en él aparecía el rostro de un vecino ya fallecido hacía dos años.

A petición del doctor Eisenbud, sin duda sorprendido por la imagen obtenida del difunto, la familia Vielleux aceptó otros retos todavía mayores: acudieron al cementerio y se detuvieron ante una tumba escogida al azar. En la lápida se aseguraba que allí descansaba el cuerpo de W. Gaudón, un joven de 13 años que según la familia de psíquicos se había suicidado ahorcándose en un árbol.

El señor Vielleux, junto a los miembros de su familia, se concentró apuntando con la cámara en dirección a la tumba. Vaya por delante indicar que la cámara había sido cargada por el doctor Eisenbud para evitar posibles fraudes. De las cuatro fotografías que se tomaron, tres no reflejaron nada, pero la cuarta mostraba un árbol (concretamente un abeto), pese a que no había ninguno en el cementerio.

Más difícil todavía: fotografiar psíquicamente la Luna

Mientras el doctor Eisenbud efectuaba las investigaciones con la familia Vielleux, recibió una comunicación de un amigo suyo que trabajaba en la NASA. Le lanzó una extraña propuesta: ¿podrían sus psíquicos tomar fotografías de la luna antes de que se posase en ella el *Apolo VIII*? El reto era interesante para el doctor y para la familia de psíquicos, que lo aceptó de inmediato. Tras la propuesta, toda la familia salió al jardín, se concentraron, apuntaron con la cámara al satélite y obtuvieron unas fotografías. El informe oficial que se hizo de aquellas imágenes era que coincidían con algunas de las que se tomarían un año después por los astronautas que pisaron la superficie lunar. ¿Cómo se lograron aquellas imágenes? Todavía sigue siendo un misterio.

¿Cuál es el secreto de la fotografía psíquica?

Dejando a un lado la gran cantidad de fraudes que se han llegado a realizar en fotografía psíquica, lo cierto es que aquellas que se consideran como auténticas no han podido ser explicadas.

Los investigadores apuntan a la teoría de que la imaginación de los psíquicos, por ende poseedores de mentes portentosas, tenía una gran capacidad energética, lo suficientemente fuerte como para in-

Esos fotógrafos increíbles

- **Yukio Ishi,** con sólo 19 años, tenía la capacidad de trasladar sus pensamientos a una cámara fotográfica. Pensaba en un objeto, acto seguido escribía el nombre en un papel y después procedía a tomar una fotografía. Aunque el resultado acostumbraba a estar bastante desenfocado, la imagen se parecía bastante al objeto en el que había pensado.
- **Adeline Carlenne,** de 24 años, no necesitaba que la cámara disparase la fotografía. Introducía en ella un rollo fotográfico nuevo, ella sostenía la cámara con las dos manos, pensaba en varios objetos, y aparecían fotografiados, con mala calidad pero fotografiados al fin.
- **M. Kiyota,** también sostenía en sus manos una cámara *polaroid* y, tras concentrarse, impresionaba en la película la imagen en la que había pensado con anterioridad. Eso sí, a diferencia de Ted Serios, tardaba varias horas. Su mayor logro fue producir una imagen de la estatua de la libertad.

fluir en los compuestos químicos de las cámaras fotográficas. Algunos parapsicólogos han sugerido que en el momento de realizarse la psicofotografía, la luz que capta la cámara es en realidad una formación energética y lumínica con la forma exacta o muy parecida a lo que el mentalista o psíquico está imaginando en ese momento. Los defensores de la existencia del fenómeno aseguran que, de igual manera que hay personas que pueden mover objetos a distancia con la fuerza de su mente, no resulta descabellado que otras puedan generar pequeñas ondas lumínicas, totalmente imperceptibles para el ojo humano, pero los suficientemente sensibles como para impactar en una película fotográfica.

El soviético V. Skurltov creía que en realidad la fotografía psíquica procedía de una imagen que se formaba en la retina a partir de un hecho imaginario. Algo así como si los ojos fueran capaces de hacer una proyección fotográfica de aquello en lo que se piensa. Trabajó durante más de diez años intentando demostrar su teoría, pero no obtuvo resultado alguno.

Miradas con rayos X

No es capaz de fotografiar o impresionar una película. No le hace falta, es lo más parecido a una máquina de rayos X.

En 2004, una noticia poco menos que increíble salta a los medios de comunicación. El primero que se hace eco de ella es el diario *The Sun,* explicando que una joven de 16 años tiene la capacidad de ver en el interior de los demás e incluso diagnosticar las enfermedades.

Todo comenzó cuando la joven Natasha Demkina, a los diez años, le dijo a su madre que veía en su interior algo parecido a dos judías, un espacio vacío y un tomate. En realidad, las investigaciones posteriores determinaron que la niña se refería a órganos internos que estaba observando en el cuerpo de su progenitora.

Un equipo de científicos rusos le solicitó a la niña que hiciera distintos dibujos de lo que veía en el interior de ellos. La sensitiva dibujó el estómago de un médico y pintó una mancha oscura en un lateral, justo donde el doctor tenía una úlcera. En otra ocasión fue capaz de señalar, con una precisión absoluta, alteraciones pulmonares, problemas digestivos e incluso cardiacos.

9

¿Podemos empezar a arder en cualquier momento?

Sin más, un ser humano empieza a arder. Y muere consumido en sus propias llamas. La imagen es desoladora. ¿Pero qué hay de cierto y qué de exageración? ¿Hay un mecanismo desconocido por el que alguien puede incendiarse de forma espontánea?

El fenómeno que tanto ha dado que hablar se llama Combustión Humana Espontánea, y es más conocido por sus siglas en inglés: SHC. Desde el siglo XVII hasta nuestros días se han documentado cientos de casos de personas que han fenecido de esta inusual manera. Las descripciones que nos han llegado de estos casos son ciertamente aterradoras. De repente, sin ninguna razón que lo justifique, alguien empieza a arder. La combustión es muy rápida y no tiene tiempo de reaccionar. Se consume rapidísimamente. A veces sólo quedan unas cenizas. El cráneo, si se conserva, reduce considerablemente su tamaño. Pese a todo, en muchas ocasiones, las extremidades se encuentran intactas. Lo más curioso es que estas combustiones no afectan al resto de la estancia donde se encuentra, aunque haya objetos que puedan arder con facilidad. También existen otros relatos un poco más «gores» en los que el cuerpo explota y los miembros salen despedidos, aunque estos casos son los menos.

Ésta es la descripción más habitual de un suceso de este tipo, y es también muy difícil de creer desde una perspectiva científica. El

Una escalofriante escena con los restos de una mujer que supuestamente ardió de forma espontánea.

cuerpo humano está formado por un 70% de líquido y resulta muy difícil de consumir, y menos aún de una forma tan rápida. Además, es bastante difícil que sólo se incendie un cuerpo sin apenas afectar a su alrededor. ¿Qué es lo que ocurre en este caso? Vamos a repasar algunas de las teorías que han intentado explicar este misterio.

Partículas subatómicas

Larry Arnol ha investigado el tema durante 30 años y ha publicado el libro *Ablaze* que versa sobre estos extraños casos. Él les puso nombre a las víctimas: piratrones. Arnol es especialista en temas esotéricos y llegó a la conclusión de que las causas del fuego son unas partículas subatómicas. Por casualidad, se produce un choque interno que desencadena una especie de explosión nuclear interna. Esta teoría contó con muchos seguidores cuando apareció por primera vez. Sus razonamientos estaban bien argumentados, pero quedaban muchos cabos sueltos. Por ejemplo: ¿cómo podía ser que en el lugar de la explosión no hubiera radiación? Éste es el principal punto flaco de esta teoría. De todas formas, presenta inquietantes interrogantes que tal vez en una investigación más profunda podrían ser resueltos satisfactoriamente.

El efecto mecha

Para entender bien este fenómeno tenemos que fijarnos en los casos documentados. El 80% son mujeres obesas. Una gran proporción ha estado bebiendo o ha ingerido calmantes previamente al trágico incidente. Casi todos los casos se presentan en personas ancianas, que en muchos casos tienen problemas de movilidad, y buena parte de ellos, además, eran fumadores/as.

Nada prende si no hay una llama previa, según las leyes de la física. Así que los defensores de esta teoría consideran que estas personas murieron o se quedaron dormidos antes de empezar a arder. Al ocurrir esto, el cigarrillo o cualquier otra llama les quemó, y aquí entra en juego el efecto mecha, que explica que una persona puede ser quemada por su propia grasa si ésta es prendida por una llama exterior. Un cuerpo vestido es como una vela al revés. La mecha es la ropa y la fuente de combustible es la grasa. Eso explicaría que la persona se fuera consumiendo internamente y que apenas quedara afectada la ropa.

Un programa de divulgación científica de la BBC preparó un experimento con un cerdo. Se le cubría con una manta y se le prendía fuego. La manta apenas ardía, los objetos de alrededor permanecían intactos, pero el cerdo se quemaba totalmente, debido a su grasa.

Por tanto, cuando hay una gran presencia de tejidos grasos es posible que una persona se consuma, pero siempre con la ayuda de una llama externa.

Mary Resser: reducida a cenizas

Es uno de los casos más conocidos. El 2 de julio de 1951, esta mujer de 67 años de edad fue encontrada reducida a cenizas. Sólo se podía distinguir su pie izquierdo. Se habían quemado los objetos cercanos, el resto permanecía intacto. Según los detractores de la Combustión Humana Espontánea hay pruebas de que esta viuda se había tomado tranquilizantes y además fumaba. Estaba obesa, por lo que pudo, perfectamente, producirse el efecto mecha.

El fumador ¿autocombustionado?

Similar es otro de los célebres casos, el de John O'Connor, de 76 años de edad, del que su enfermera sólo encontró cenizas cuando fue a visitarlo a su casa del condado de Kerry, en la República de Irlanda. La policía estuvo abierta a todas las hipótesis, incluso a la de la combustión, hasta que descubrió que el difunto era un fumador empedernido que a la sazón solía tener pérdidas de conocimiento.

El soplete humano

Corre la década de los sesenta, una dotación de bomberos acude a una llamada de emergencia en un inmueble abandonado de Londres. No hay señales de fuego, pero en el interior del recinto se encuentra un indigente que tiene un profundo corte en su abdomen por el que salen unas llamas muy violentas.

Según los bomberos, parecía como si el indigente tuviese un soplete en su interior. El fuego se extinguió aplicando el chorro de la manguera en la zona afectada. Las investigaciones no pudieron aclarar el misterio. Se barajó la hipótesis de que un cigarrillo hubiera quemado la piel del hombre provocando una hendidura que, al mezclarse con los gases intestinales hubiera producido el fuego. Sin embargo, el estudio posterior demostró que un simple cigarrillo no pudo realizar tal perforación.

La combustión le costó un brazo

El fuego parapsicológico parece atacar cuando uno menos se lo espera. En 1974 en Georgia, Jack Angel se fue a dormir como de costumbre. Según las investigaciones, estuvo sumido en un profundo letargo que duró cuatro días. Al despertar su brazo derecho presentaba unas quemaduras tan intensas que fue necesario amputárselo, en cambio la ropa de cama y el pijama estaban intactos. No había rastro de fuego. Jack Angel es uno de lo pocos supervivientes de una experiencia de combustión espontánea.

¿Es todo una invención?

Por último, hay algunos investigadores que están convencidos de que se trata de una especie de leyenda urbana, que se ha ido alimentando con falacias. Lo cierto es que hay una característica común a todos los casos: siempre ardieron en su casa y estando solos. En toda la historia del fenómeno apenas hay casos fiables que se dieran delante de otra persona. Por tanto, no hay testigos y también es difícil saber cuánto tiempo estuvo ardiendo la víctima hasta quedar en el estado

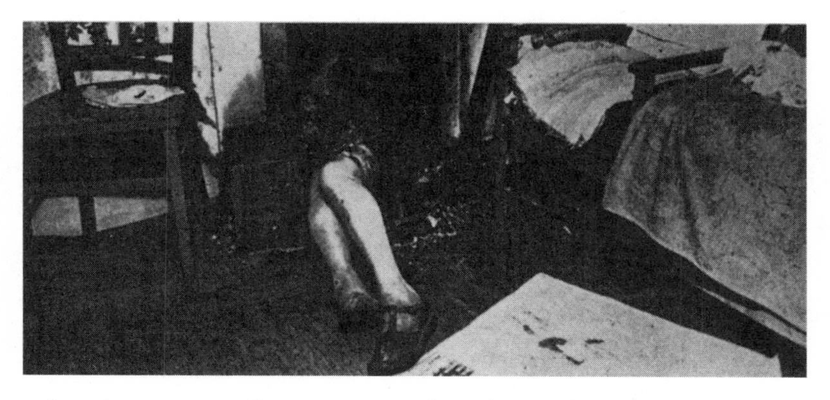

Por el momento sólo una persona ha sobrevivido a un proceso de combustión espontánea, el resto no han podido ni contarlo.

en que se la encontró. Esto ha servido, según algunos investigadores, para crear un mito de escasa base científica.

El fenómeno, además, ha sido muy divulgado, y no sólo desde la comunidad esotérica. Charles Dickens, por ejemplo, lo incluyó en una de sus novelas. Por ello, este tipo de fenómeno forma parte del imaginario colectivo y es fácil interpretar un accidente fortuito como un enigmático caso de combustión humana.

De todas formas, no todas estas interpretaciones erróneas han sido inocentes. Se sabe, por ejemplo, que muchos asesinos han intentado recurrir a esta causa para encubrir su crimen. Existen varios casos documentados en este sentido.

Más allá de eso, pese a todas las explicaciones, sigue habiendo algunos casos, mínimos eso sí, que no se pueden explicar desde teorías racionalistas o científicas. ¿Nos faltan datos sobre esos sucesos en concreto o aún hay fenómenos que desconocemos?

10

Más allá del dolor: caminar sobre el fuego

Si acabar calcinados como por arte de magia es un misterio, no lo es menos evitar de forma voluntaria que el fuego nos queme.

Hay personas en todo el mundo que han conseguido huir a la ley de la física elemental que afirma que el fuego quema. En todas las religiones y culturas del planeta existen hombres y mujeres que andan sobre el fuego como quien pasea por la calle. Su fe hace que no sientan dolor y que ni siquiera les queden señales tras llevar a cabo esta hazaña. La comunidad científica aún no comprende cómo es posible que esto ocurra.

Cuando las brasas no queman

El fuego está presente en casi todas las religiones y mitologías. Es un elemento siempre mágico rodeado de misterios que se emplea en diferentes rituales. Lo más sorprendente es que en casi todas las culturas conocidas suele haber ceremonias, más o menos conocidas, en las que los seguidores caminan por las brasas encendidas.

Las tribus polinesias celebran casi todas las festividades de la tribu de esta manera. Todos los miembros del grupo suelen caminar sin mostrar ningún síntoma de dolor. Incluso lo hacen los niños pequeños.

En muchas culturas son comunes los rituales de exaltación del fuego que se celebran caminando descalzos sobre brasas.

Los chamanes también lo practican habitualmente. Suele ser un rito de iniciación, cuando los jóvenes llegan a la edad adulta. También es una forma de purificarse, de demostrar la unión que cada uno tiene con las fuerzas de la naturaleza. Dentro del hinduismo, sólo aquellos verdaderamente puros, que han superado muchas reencarnaciones, pueden enfrentarse a esta prueba en la que emulan a sus principales divinidades, que eran capaces de atravesar el fuego sin quemarse. También, entre los ascetas que han renunciado a todo bien material, se da esta práctica.

Sin embargo, no pensemos que se trata sólo de un ritual lejano que practican exóticas culturas. Dentro del cristianismo también se llevan a cabo estas ceremonias. Según se cree, la noche de San Juan el fuego deja de quemar. El 23 de junio, en muchos lugares de España, cientos de personas caminan por las brasas. Este ritual tiene una raíz pagana. Esa noche se celebraba el equinoccio y era la fiesta de las brujas. El cristianismo, posteriormente, se apropió el ritual del fuego, asimilándolo a la figura de san Juan. De todas formas, muchos de los participantes desconocen la raíz de la festividad. Se lanzan a las brasas porque están convencidos de que su fe les librará de la quemazón, y aunque sea inexplicable desde un punto de vista científico, están en lo cierto. En España, cada año, por estas fechas son muchos los que dan fe de ello.

¿Es posible que el fuego no queme?

Sería tan difícil como que el agua no mojara. Pero lo cierto es que hay ocasiones en las que es posible no quemarse. Existen diferentes formas de caminar sobre las brasas. Una tiene una fácil explicación. Cuando se corre sobre ellas, científicamente está demostrado que es posible no sentir dolor y que ese tránsito no deje ninguna herida. Varios estudios han demostrado que las maderas ardientes y la piel humana no son buenos conductores del calor. Por ello, mientras uno no se detenga, no hay suficiente tiempo para causar la herida de una quemadura. Esto explicaría este tipo de casos, pero como veremos más adelante hay algunos en los que las personas pasean mucho más despacio sobre las brasas y tampoco se queman. Estos son los verdaderamente enigmáticos. Los otros tienen una explicación que no desafía a la ciencia.

Después existen también otros trucos. En algunas culturas se emplean ungüentos que son capaces de aislar el pie del fuego durante más tiempo. Se cree que algunos faquires podrían echar mano de estos remedios para poder soportar el fuego. De todos modos, todavía no ha quedado demasiado clara la naturaleza de estos sorprendentes compuestos, que en muchos casos sigue siendo un secreto muy bien guardado por cada comunidad.

Quitando estos dos casos, caminar poco a poco por el fuego debería producir dolor y quemaduras. Pongamos que los caminantes son capaces de obviar el dolor. ¿No quedarían al menos quemaduras en las plantas de sus pies? Eso sería lo lógico, pero muchos exámenes han demostrado que no es así: no hay rastro ni de una sola herida como consecuencia de lo que acaban de hacer. Ello nos lleva a buscar nuevas explicaciones a este fenómeno.

Apagar el fuego en la mente

Eso nos lleva, de nuevo, a poner en duda todo lo que sabemos sobre el cerebro humano y sobre el poder de autosugestión. Éste es mucho mayor de lo que siempre imaginamos. En estados de hipnosis, por ejemplo, se puede convencer a una persona de que cualquier objeto que está tocando, quema. Inmediatamente, siente el dolor, y en algunos casos incluso puede llegar a presentar quemaduras reales. ¿Podría funcionar este proceso al revés? Si nos fijamos en los caminadores sobre el fuego deberíamos decir que sí. Tengamos en cuenta que muchos de estos rituales se llevan a cabo en momentos catárticos de

Personas inmunes a las llamas

Una cosa es caminar por el fuego, y otra atravesarlo o tocarlo durante un rato sin notar ni dolor ni siquiera calor. El santoral cristiano está lleno de ejemplos de este tipo. El problema es que en muchos casos, como ha transcurrido tanto tiempo, no se puede delimitar dónde acaban los hechos constatados y dónde empieza la leyenda.

El más célebre es el de san Francisco de Paula, que murió en 1509. Se cree que era totalmente inmune al fuego. Podía tomar entre sus manos carbones encendidos sin sentir dolor y sin que éstos le dejaran ninguna herida. Pero no sólo en el cristianismo encontramos estos fenómenos. Durante la caza de brujas, sólo una de ellas se libró de morir quemada. Se llamaba Sally G., y se la condenó por brujería porque se la vio en diversas ocasiones atravesando casas incendiadas y hogueras. Cuenta la leyenda que quisieron torturarla con fuego y que ella no paraba de reír, pues aquel martirio sólo le causaba cosquillas.

la tribu. El sonido de los tambores, los bailes que les conectan con zonas desconocidas de su cuerpo y los cánticos pueden sumergirles en estados alterados de la conciencia. En este punto, también se ha de reseñar que para muchos de estos rituales se emplean drogas. El empleo tribal de los narcóticos no tiene nada que ver con el que se lleva a cabo en la civilización occidental. Para ellos, las drogas sirven para llegar a estados superiores de conciencia y sólo se utilizan en ese sentido. Lo cierto es que muchos estudiosos han constatado que es cierto. Mediante drogas como el peyote o la ayahuasca se pueden alcanzar algunos estados similares a los conseguidos mediante la meditación u otras técnicas de introspección. La diferencia es obvia: la utilización de estas drogas es una forma mucho más rápida de llegar al estado deseado sin necesidad de un aprendizaje previo.

Otros optan por la vía más lenta, pero segura. Llegar por sus propios medios a un estado de trance o de autohipnosis que les permite realizar gestas más allá de los límites de su naturaleza, como caminar por el fuego.

En la actualidad existen incluso cursillos que enseñan a la gente a caminar por las brasas. Casi todos explican que la técnica, que deben ensayar mucho, consiste en enviar toda la energía a los pies, para protegerlos. Todo esto enlaza con la teoría de los campos de energía que hay en nuestro cuerpo y que con un poco de dominio mental podríamos dominar a nuestro antojo.

Es muy importante tener en cuenta que todos los practicantes de este ritual declaran que lo más importante es la concentración. Hay muchos casos de personas que aseguran que tras hacer un largo recorrido, perdieron la concentración y entonces fue cuando notaron el ardor del suelo.

De todos modos, la respuesta más común cuando se pregunta a cualquiera sobre estas técnicas es decir que es cuestión de fe. Es una forma de explicarlo que no contradice lo antes explicado. Cuando uno tiene fe, trasciende, llega a un estado en el que se siente superior. Se le puede llamar autohipnosis, concentración o campo de energía. Cada cultura lo adapta a sus creencias, pero lo cierto es que parece que la mente humana tiene muchos más poderes que los que le atribuimos.

11

¿Podemos volar con la fuerza de la mente?

La levitación es uno de los supuestos poderes mentales, tan extraño como la capacidad de evadir las llamas del fuego o como lograr impregnar un rollo fotográfico. Es tan raro que sólo unos pocos alcanzan dicho poder. Místicos, magos y especialmente religiosos han volado o al menos han conseguido elevarse en el aire sin utilizar artilugio alguno. ¿En qué consiste la facultad de la levitación?

Douglas Home, el hombre que volaba

Era a finales del siglo XIX, concretamente el 16 de diciembre de 1868, cuando dos destacados miembros de una sociedad filantrópica inglesa se quedaron atónitos ante lo que veían: un famoso médium se elevaba en el aire sin mecanismo alguno, flotaba, salía por la ventana de una casa y, efectuando un giro en el aire, entraba de nuevo en la vivienda, pero por otra ventana.

Home era una persona cuya singularidad ya destacaba de niño, aunque se supone que no comenzó a volar hasta cumplir los 19 años. Hasta esa edad tenía visiones, poseía la capacidad de contactar con el más allá e incluso hacer que por su voz se manifestasen seres del más allá. De hecho, la primera vez que se elevó en el aire fue debido a una

Dibujo que recrea uno de los muchos vuelos realizados por Douglas Home.

sesión espiritual en la que la cosa se descontroló un poco, aconteciendo un fenómeno poltergeist que dio como resultado que Home se elevase repentinamente en el aire de manera que su cabeza logró tocar el techo. La noticia fue recogida por el director del diario *Hartford Times,* quien se hallaba presente cuando aconteció el hecho:

> «De pronto, cuando nadie lo esperaba, el señor Home se elevó en el aire. Yo lo tenía sujeto de la mano en ese momento y al notar su movimiento ascendente le miré los pies: estaba levitando a unos treinta centímetros del suelo. De nuevo volvió a bajar y a subir. Repitió la acción por dos veces, a la tercera acabó tocando el cielo raso de la estancia.»

Un poltergeist andante

La nota de prensa ayudó mucho a la fama de Home, pero es que él, por méritos propios, ya era de por sí un espectáculo. Se le llamaba «el hombre sobrenatural», y es que por donde pasaba ocurrían hechos anómalos: los objetos se movían solos, había corrientes de aire en las habitaciones, aparecían flores como de la nada, se abrían y cerraban las puertas y, cómo no, el psíquico levitaba.

Como podemos imaginar, se buscó el fraude, se hicieron todo tipo de investigaciones, y al final sólo se pudo llegar a una conclusión: si no volaba, sí era un gran artista de la sugestión. Los más escépticos defendían que los fenómenos que producía Home no eran más que

Los santos también vuelan

Quizá hasta la aparición en escena de Douglas Home, lo cierto es que los místicos y religiosos parecían tener la exclusiva en lo que a levitaciones se refiere.

- **Santa Teresa de Ávila** experimentaba una cierta ligereza al entrar en un estado místico, como ella misma relató un día: «Cuando quería resistir, sentía que desde debajo de los pies me levantaban fuerzas tan grandes, que no sé cómo compararlo... Y aún yo confieso que gran temor me hizo sentir, al principio, grandísimo; porque verse así levantar un cuerpo de la tierra, que aunque el espíritu le lleva tras sí y es con suavidad grande, si no se resiste, no se pierde el sentido; al menos, yo estaba de tal manera en mí, que podía entender era llevada.»

- **San José de Cupertino**, acostumbraba a alcanzar el éxtasis místico luego de horas de oración, ayuno y, por supuesto, penitencia, que incluía autoflagelaciones. Bajo estos estados comenzó a elevarse. Las primeras ocasiones apenas se separaba unos centímetros del suelo, pero según cuentan las crónicas, conforme avanzaba su fe, la levitación se manifestaba incluso cuando no estaba bajo el estado de trance. Uno de los episodios más curiosos es cuando se elevó mientras daba misa.
- **San Felipe Neri** era otro ejemplo de levitación santa. Al igual que los dos ya mencionados, cuando alcanzaba un profundo estado de concentración y recogimiento místico, se elevaba: «Era como si alguien se apoderase de mí y yo fuera elevado maravillosamente.»

trucos de prestidigitador y que los acompañaba hipnotizando o sugestionando de tal manera a quien estaba presente que al final lo veían volar.

Cuarenta años volando

Los vuelos de Douglas Home no fueron una demostración puntual en una sesión mediúmnica. Se pasó cuarenta largos años efectuando demostraciones, algunas de ellas a plena luz del día y con abundantes testigos. Douglas Home no pretendía demostrar nada, simplemente lo hacía y lo suyo era volar. Quizá por eso sus vuelos estaban exentos de trazos teatrales, no pedía a los presentes que se concentrasen, sino que les decía que hablasen de sus cosas con normalidad; no solicitaba invocaciones o cánticos como otros médium. En definitiva, volaba como otros caminan. Eso sí, no siempre lo hacía queriendo. A veces, cuando menos se lo esperaba, estando sentado y manteniendo una conversación normal con algún amigo, se elevaba unos centímetros en el sillón.

Respecto de su capacidad, Home comentaba:

> «No siento manos que me sostengan y, desde la primera vez, nunca he sentido miedo, aunque si me hubiera caído desde el techo de algunas habitaciones en las que levité no hubiese podido evitar sufrir heridas graves. En general me elevo perpendicularmente hacia el techo; mis brazos con frecuencia se ponen rígidos y se elevan por encima de mi cabeza, como si estuviera tratando de aferrar al poder invisible que me eleva lentamente desde el suelo.»

Vencer la gravedad

Empíricamente no es viable vencer la gravedad con el poder de la mente, ahora bien, los sensitivos parecen tener la capacidad de invertir las leyes formuladas por Newton. ¿Cómo lo hacen? Los seguidores del misticismo afirman que liberan el peso de su cuerpo mediante la oración y el ayuno, pero la ciencia no lo tiene tan claro. Sir William Crookes, un científico que en su momento realizó algunos coqueteos con los fenómenos paranormales afirmó, respecto de casos como los vuelos místicos y D. Home, que si bien desde un prisma científico era imposible levitar, debía rendirse a la evidencia de lo que habían visto sus ojos y había comprobado su objetividad. En el caso de Home, que volaba y no usaba para ello truco alguno.

La gran mayoría de los investigadores afirman que la levitación es un extraño fenómeno, que lamentablemente ha estado plagado de fraudes. A la hora de justificar la naturaleza del extraño poder para vencer la gravedad, la mayoría coincide en que es como si los levitadores lograsen el mismo efecto que un campo magnético. Para Randar Klisger, uno de los investigadores del caso Home, «la fuerza de la mente parece tener fuerza suficiente como para romper el magnetismo terrestre, aunque sea a muy pequeña escala. De hecho es algo parecido a lo que sucede con los movimientos de objetos a distancia y sin que nadie los toque. ¿Qué los empuja sino energía invisible?»

El hindú que levitaba

En la revista *Illustrated London News* se publicó, en 1936, un dato sobrecoger respecto de la levitación. Aparecían unas secuencias fotográficas en las que se mostraba paso a paso la levitación de un místico hindú. A diferencia de Home, que volaba con la mayor naturalidad, el yogui hindú seguía una técnica que muchos tildaron de teatral. En esa ocasión, saludó a los congregados con reverencia espiritual, purificó el recinto en el que se llevaría a cabo la práctica y después procedió a purificarse él mismo derramándose un poco de agua sobre la cabeza. Después el místico se introdujo en una pequeña tienda de campaña en la que comenzó a iniciar su ascensión. Lo hizo en privado y cuando ya estaba suspendido en el aire dio permiso para que los congregados retirasen la tienda.

Como es fácil de imaginar, muchos pensaron que en realidad la tienda servía para esconder el truco, más cuando tras cuatro minutos de levitación el hindú exigió que se le colocase de nuevo la tienda, ya que según él, el descenso debía ser en privado.

El periodista que ofreció la noticia consiguió un punto privilegiado de observación y narró así el descenso:

> «Pareció oscilar, y acto seguido empezó a descender lentamente manteniendo su posición horizontal. Tardó casi cinco minutos en llegar hasta el suelo, un tiempo bastante largo, más si tenemos en cuenta que se situaba sólo a un metro del suelo. No observé nada que me indujera a pensar que se trataba de un engaño.»

12

¿Se puede curar con las manos?

Tan sólo dos manos pueden sanar. Nada de medicamentos, nada de operaciones, adiós a los largos tratamientos y a los costosos aparatos de diagnóstico. ¿Es esto posible? ¿Puede ser que en el siglo XXI un par de manos solucionen complejos problemas de salud?

El tema provoca división de opiniones. Al tratarse de una técnica milenaria, algunos piensan que ha sido totalmente superada por la medicina y que pertenece al campo de la superchería.

De todos modos, no todos los métodos que emplean las manos como única forma de curación son iguales. Se distinguen varios grupos, con algunas filosofías y metodologías completamente distintos. Por ello, antes de sumergirnos en su posible efectividad, resulta imprescindible conocer un poco más de ellos. En concreto vamos a tratar dos: la sanación a través de las manos, que es el que se ha practicado toda la vida, y el reiki, que es una especie de modernización con algunos elementos de cosecha propia.

El milagro de la imposición de manos

Es sin duda el más antiguo y, de hecho, antes de la medicina, fue el único. Se practicaba de forma casi intuitiva o al menos no nos han llegado escritos que expliquen cómo se llevaba a cabo, pero sí que hay mucha documentación que constata que era uno de los métodos más empleados. El principio es muy simple: la energía que tienen los seres humanos puede servir para curar a otros, sólo es necesario el contacto físico y el deseo de sanar.

La comunidad científica siempre ha mirado con malos ojos a las medicinas alternativas y en especial a ésta, ya que por su simpleza rompe con toda la laboriosa investigación que ha costado siglos adquirir. De todos modos, en algunas clínicas y hospitales ha empezado a emplearse no como sustitutivo de la medicina occidental, pero sí como apoyo a algunos tratamientos.

El método no es complicado. Se trata de imponer las manos en la zona que se pretende curar a unos 10 centímetros de distancia durante un tiempo que no debe rebasar los 10 minutos. También se pueden colocar directamente en la cabeza, independientemente de la zona dolorida, ya que se supone que desde allí la energía alcanzará el área más necesitada en ese momento. El cuerpo es sabio y sabrá distribuir la energía de la forma más adecuada.

De todos modos, dentro de la corriente de los que creen en la imposición de manos, existen algunas divergencias. Algunos piensan que no todos pueden dedicarse a sanar de esta manera. Al imponer las manos se está transmitiendo la energía que uno tiene, y si por cualquier razón ésta es negativa, tal vez el resultado final podría ser justo el contrario del que se busca. También se cree que el sanador puede absorber las dolencias del que intenta sanar. Esto ha hecho que se confíe más en los sanadores «profesionales», de los que se supone que tienen un don especial para conseguir la curación y que, además, han desarrollado una técnica efectiva. De este modo se han creado dos grupos: los que creen que cualquiera puede curar y los que consideran que hay unos elegidos que han nacido con este don.

El milagroso Reiki

Este tratamiento se basa en la activación de la capacidad de cada ser humano de captar la energía del Universo para mejorar los problemas de su cuerpo y su alma. Según el reiki, las enfermedades provienen de un desequilibrio en los centros energéticos del cuerpo, los famosos chakras. Mediante la imposición de las manos se puede reestablecer la armonía energética, que influirá tanto en el ánimo como en la salud del paciente.

Es una técnica muy en boga últimamente. El nombre proviene del japonés y significa «energía vital universal». Pero se trata de un compendio de técnicas antiguas que tomaron forma en el siglo XX. El au-

Una historia de manos

Desde la antigüedad se tiene noticia de este método ancestral que durante muchos siglos fue el único para sanar a los pacientes. Encontramos los primeros rastros en el Egipto faraónico. En el papiro de Ebers (aproximadamente 1552 a. C.) se describe esta técnica. La Biblia está llena de alusiones. De hecho se cree que los rituales de ungir con aceites o de bendecir tienen una estrecha relación con la sanación a través de las manos.

El salto a la modernidad fue posible gracias al médico Franz Anton Mesmer, en 1779, que habló por primera vez de una energía que existía en las estrellas, la Tierra y los seres vivos y que podía dirigirse para curar todo tipo de dolencias. En un principio, su método consistía en pasar imanes por el cuerpo del paciente, pero posteriormente descubrió que colocar objetos magnetizados en ciertas zonas de la estancia era suficiente para lograr el efecto que buscaba. Sus pacientes a veces tenían reacciones exageradas que iban de la carcajada al llanto y él aseguraba que se debía a que la energía fluía por sus cuerpos.

Ya en el siglo XX, en la década de los sesenta, el doctor canadiense Bernard Grad descubrió que los sanadores esotéricos eran efectivos porque empleaban la energía de sus manos para curar. Para comprobar si era cierto lo que suponía, hizo experimentos con plantas y animales, pues así no entraría en juego el poder de sugestión. De esta forma confirmó sus teorías. Estas investigaciones provocaron que algunos científicos dejaran de ver con malos ojos este método.

De hecho, en la actualidad varios médicos están intentando comprender cómo funciona la sanación a través de las manos y cómo puede complementar a la medicina.

tor fue Mikao Usui, un profesor de una universidad de Tokio que no supo qué contestar cuando sus alumnos le preguntaron cómo curaba Jesucristo. A partir de ahí, empezó a investigar sobre el tema, estudió las curaciones de Jesús, aprendió técnicas en la India y analizó los métodos tibetanos. Según cuentan, tuvo una revelación y descubrió la relación entre los problemas anímicos y físicos.

De esta manera, según el reiki, el dolor de garganta demuestra un problema para expresarse; la gripe es un indicativo de miedo; los dolores de rodilla son la consecuencia de una carácter demasiado fé-

El reiki utiliza la conexión de la energía humana con la de su entorno para favorecer la curación del individuo y, al tiempo, regular su energía.

rreo... Es imposible arreglar el cuerpo sin sanar el espíritu. Y de este modo el reiki, además de una forma de mejorar la salud, se convierte en una vía de crecimiento personal.

La filosofía del reiki es bastante simple. Se basa en cinco principios:

1. Al menos por hoy, dejaré de lado la ira.
2. Al menos por hoy, dejaré de lado las preocupaciones.
3. Hoy valoraré todo lo que poseo.
4. Hoy haré mi trabajo en forma honrada.
5. Hoy seré bondadoso con todo ser viviente.

El reiki tiene cuatro grados. En el primero se abren los cuatro chakras inferiores y se aprende a emplear las manos. En el segundo se canaliza la energía mental, lo que permite hacer curaciones a distancia. En el tercero uno se compromete espiritualmente con el reiki. El último grado es el que permite conseguir la categoría de maestro.

El tratamiento de reiki consiste en poner las manos por encima de zonas concretas del cuerpo. Se genera gran energía y el paciente siente calor en la zona en la que se le está tratando sin que haya, en la mayoría de los casos, contacto directo con las manos.

El maestro de reiki no es alguien que posea un poder especial, sino que actúa simplemente como transmisor. No está aportando su energía sino la del Universo. La curación la lleva a cabo el propio paciente, que emplea esa energía para su mejora.

¿Qué opina la ciencia?

Como es de imaginar, la comunidad científica observa todas estas prácticas con cierto escepticismo. Según varios estudios no hay ninguna razón demostrable de que las manos puedan curar enfermedades. De todas formas, lo cierto es que hay muchas personas que han mejorado gracias a este tipo de tratamiento. Muchos especialistas creen que la razón es la autosugestión y tal vez las ganas de curarse de los pacientes. Confiar en este método, que en cualquiera de los casos siempre resulta relajante, es una forma de no rendirse y seguir luchando por una pronta recuperación. De todos modos, cada vez hay más médicos que están estudiando la posibilidad de que la energía influya en la salud. Muchos esperan que durante el siglo XXI la medicina occidental y la llamada medicina alternativa entierren el hacha de guerra y se unan para curar a sus pacientes. Este sería el único modo de saber qué técnicas alternativas son verdaderamente eficaces y cuáles están basadas en el engaño.

13

Cuando el más allá se manifiesta

Una de las presencias más inquietantes a las que podemos enfrentarnos es, sin dudas, la de un fantasma. Se ha intentado demostrar que los fantasmas están entre nosotros a través de fotos y vídeos, pero todavía ninguna de estas muestras ha pasado todas las pruebas, y sigue habiendo gente que considera que esos documentos están trucados. Sin embargo, la enorme cantidad de testimonios sobre el tema (la mayoría de ellos con un grado de precisión llamativo), nos llevan a pensar que, aunque no esté demostrado de una manera científica, es posible que existan espíritus inmateriales confinados en la tierra a causa de no haber cumplido alguna tarea en el mundo mortal.

Pensemos que desde la antigüedad se ha creído que hay vida después de la muerte, y que hay lugares maravillosos en donde nuestro espíritu descansará en paz. Sin embargo, quienes estudian el fenómeno de los fantasmas afirman que no siempre es así. A veces, los espíritus se quedan en este mundo con los vivos, tratando de salir de las sombras para ir a ese lugar mejor. El punto es, muchas personas piensan que la muerte es el último paso, pero, ¿en realidad es así?

Los fantasmas de la catedral de Mondoñedo

En agosto de 2001, en Lugo se produjo una conmoción: varios testigos dieron cuenta de supuestas apariciones de espectros en el museo

¿Qué son los fantasmas?

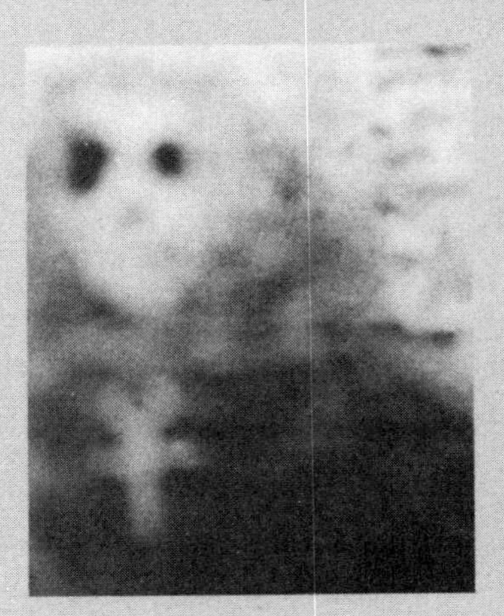

Los fantasmas o espectros son espíritus de personas ya fallecidas que pueden presentarse en ciertos lugares o ante ciertas personas, pues tienen «asuntos pendientes» que no pudieron cumplir en esta vida terrenal. Estos espectros se pueden presentar ante los hombres por varias razones: la más común de todas es que necesitan de nuestra ayuda para poner en orden lo que dejaron pendiente en esta vida. Es así como estos fantasmas o espectros dejan la huella de su mundo en el nuestro, un mundo incomprensible para nosotros.

de la catedral de Mondoñedo. El hecho no hizo más que reavivar entre los religiosos y los profanos del lugar, las viejas creencias sobre la existencia de fantasmas tras los medievales muros de la catedral. Según los relatos, todo salió a la luz cuando una turista peruana que había ido a visitar la catedral sufrió un sofoco en la sala dedicada a Fray Antonio Guevara al ver a dos monjes cruzando por el despacho del obispo. La espectral visión tuvo lugar durante la visita del mediodía al santo lugar. Claro que ver monjes en una catedral no debería ser nada raro… excepto por que desde hacía más de 40 años, en el lugar no habitaban monjes. Sin embargo, no fue ésta la única persona que dijo haber sido testigo de la aparición. Un niño que formaba parte de una visita guiada por las salas del museo aseguró que también los había visto.

Aunque muchos lugareños no dieron crédito a las visiones de los fantasmas, otros llegaron a apuntar los nombres de los monjes aparecidos. Por ejemplo, Leonor Justo, una mindoniense que dice creer en fantasmas, asegura que intuye que las fantasmagóricas apariciones «corresponden a Pardo de Cela y su hijo, porque según cuenta la historia les cortaron la cabeza y nunca aparecieron los cadáveres». Desde el museo se apresuraron a desmentir los rumores sobre posible

Castillo de Edimburgo.

vida espectral entre los muros del santo lugar. Sin embargo, no son pocos los que miran atentamente antes de penetrar en los recintos del museo.

Los fantasmas del castillo de Edimburgo

Aunque se trata de un castillo con cierta solera en lo que a apariciones fantasmagóricas se refiere, lo cierto es que en 2001 los fantasmas volvieron a ser primera página en Edimburgo. En este caso, no se trató de una aparición espectral, sino de movimientos extraños en el interior del castillo.

Los rumores empezaron cuando un antiguo obrero dijo que vio como una manga de la chaqueta se movía sola, como si golpeara un tambor. La chaqueta se relaciona ahora con la leyenda de un muchacho que era tamborilero y que fue decapitado, y que al parecer retorna al castillo en momentos de guerra. La túnica, según la historia, perteneció a un soldado que vivió en el siglo XVII. Se la llama «túnica de los Ingenieros Reales», y forma parte de una exposición en el restaurante del castillo. Robin Mitchell que dirige Witchery Tours en la ciudad, dice que la historia data del año 1650, cuando el fantasma advirtió de la invasión de Cromwell. Aunque los escépticos no creen en la veracidad del suceso, los trabajadores declararon: «Hay una sensación extraña en el restaurante».

Están en todas partes: fantasmas en la India

Las manifestaciones fantasmagóricas no se producen, como podríamos creer en un principio, sólo en los viejos y grandes castillos. De hecho, en la India, cientos de familias se vieron amenazadas por un espíritu malvado que, al parecer, prácticamente les llevó a abandonar su pueblo a fuerza de acosarlos. Los residentes de Gudur en Andhra Pradesh dicen que el espíritu es responsable de las muertes misteriosas y los acontecimientos extraños en el pueblo. Es que han sucedido muchas cosas extrañas desde comienzos del 2002. Por ejemplo, han aparecido animales muertos que no estaban enfermos ni presentaban signos de violencia. También se encontraron símbolos extraños escritos con polvo rojo en prácticamente cada puerta del pueblo. Todo ello ha llevado a los residentes a creer que les espera la muerte si no se van.

Los testimonios se multiplican

El dirigente del pueblo Kanakagiri Rao dice que su hija vegetariana, Shravani, ha desarrollado de repente apetencia por la carne cruda, y el granjero Gundla Srisailam dice que su esposa y su hija murieron el mismo día bajo circunstancias misteriosas. «Ellas estaban sanas y saludables pero sus cuerpos se pusieron amarillos de repente. Pensamos que era ictericia pero su cambio de color en un día y las dos al mismo tiempo es demasiada coincidencia. El pueblo está bajo el hechizo de un espíritu malvado» dijo.

Por supuesto, las autoridades no creen en la existencia de fantasmas, e incluso han barajado la hipótesis de que se trate de ladrones o saqueadores que estén intentando ahuyentar a los vecinos de sus casas para poder entrar a robar. Los aldeanos, sin embargo, siguen pensando que los malos espíritus son los culpables de sus problemas».

Los fantasmas de la guerra de Afganistán

Durante la campaña que Estados Unidos realizó en Afganistán, un campamento de infantes de Marina se instaló en el Este del país para realizar misiones de guerra junto a los guerrilleros de la Alianza del Norte. El lugar se denominó Campamento Rinoceronte, y en él se produjeron varios sucesos inexplicables que han alarmado a los soldados y han hecho que se empiece a hablar de los «fantasmas de Afganistán».

Los marines, antes de llegar al campamento, habían sido advertidos del peligro de posibles atentados con camellos cargados con cargas explosivas detonadas a distancia, una estrategia empleada por los afganos durante la invasión soviética en los años 80. Una noche vieron con horror cómo un camello irrumpía en la base y descargaron sus armas contra él, pero luego no encontraron ni rastro del animal. El cabo Jesse Mendoza fue uno de los muchos testigos que pudieron observarlo con toda claridad: «Yo tenía puestas unas lentes de visión nocturna y vi a un viejo y enorme camello corriendo por el complejo».

Sin embargo, esto no fue lo único que vieron los soldados. Según contaron al regresar, unas noches antes de ese suceso había ocurrido otro hecho tanto o más sorprendente. Aquella noche se produjo un ataque talibán, y los marines aseguran que dispararon decenas de morteros. Sin embargo, al día siguiente no había rastro de cadáveres y ni tan siquiera se veían señales de combate.

¿Fantasmas del 11-S?

La invasión de Estados Unidos a Afganistán se produjo con el objetivo de capturar a Bin Laden, a quien se consideraba autor del atentado a las Torres Gemelas, pero aquí, ¿casualmente?, nos encontramos otro suceso relacionado con fantasmas. Tiene que ver con uno de los vuelos, el 93, que se estrelló en Shanksville.

Tras los dramáticos acontecimientos del 11 de septiembre de 2001, el mundo se estremeció con el relato de las llamadas telefónicas realizadas por algunos de los pasajeros del vuelo 93 de United Airlines, en las que se despedían de sus seres queridos y anunciaban que unos terroristas habían asumido el control del aparato. Podemos recordar cómo una de estas personas, por ejemplo, contó a su esposa que él y otros pasajeros iban a intentar reducir a los terroristas.

Lamentablemente, ese plan no dio el resultado esperado, y el vuelo 93 se estrelló finalmente en un campo de Shanksville, Pennsylvania, no lejos de Johnstown. Murieron los 38 pasajeros y 7 miembros de la tripulación, además de los terroristas. El tremendo impacto produjo un profundo cráter, que fue rellenado un par de días más tarde, luego de recuperar todos los restos y las pruebas posibles.

Una vez que fue rellenado, los residentes locales comenzaron a referirse al lugar como la «fosa común». Lo cierto es que muchos de los cadáveres eran irrecuperables, por lo que sus restos debieron quedar allí mismo. Para evitar que cualquier persona se acercara al sitio, el FBI contrató a una compañía de seguridad privada que debía patrullar la zona 24 horas al día. Robert Wagstaff, de 32 años de edad y residente en Johnstown desde hace muchos años, fue asignado al sitio desde el día 9 de noviembre, dos meses después del atentado. Se trataba de un trabajo tranquilo, pero desde el principio este profesional de la seguridad privada se sintió inquieto en el lugar. Él y otros compañeros oyeron voces y pasos por la zona e incluso una vez el propio Robert vio un fantasma con sus propios ojos.

> «Otro guardia y yo entramos a trabajar en el lugar del siniestro, como desde el primer día. Entramos a nuestra caseta y, cuando llevábamos allí cerca de dos minutos, oímos a alguien golpear la puerta. No había nadie alrededor, nadie. Mi compañero salió y buscó por los alrededores sin encontrar ni rastro. En ese momento no hicimos caso, pensamos que habría sido un sonido lejano, que estábamos imaginando cosas. Para distendernos, comenzamos a jugar a las cartas. Al rato, oímos a alguien caminar a través de la caseta, por dentro de la caseta. Era un sonido absolutamente real, pero no había nadie allí más que nosotros.»

El relato de su compañero, Jerry, confirmó todos los hechos, y agregó más datos.

> «Lo peor todavía no había llegado. Después de los pasos, comenzamos a oír voces masculladas fuera de la caseta. No podríamos decir que fueran exactamente palabras. Sonaba como si un grupo de gente estuviera murmurando en la parte de atrás de la caseta. Nos apresuramos a salir y no había nadie, ni siquiera una sola huella en la nieve.»

Hay, por supuesto, quien piensa que los trabajadores sufrieron un caso de alucinación. Pero los vecinos evitan acercarse al lugar, y el personal de la empresa de seguridad no quiso trabajar más en ese sitio.

Apariciones caseras, pero fantasmagóricas

Más allá de los casos que hemos visto, que se producen en lugares públicos, son muchos los que aseguran haber percibido la manifestación de un fantasma en su propio hogar. En la actualidad siguen siendo numerosos los casos de personas que dicen haber presenciado apariciones fantasmales, e incluso en algunos casos, cohabitar con esas entidades del más allá...

Armando L., de Ferrol, comenzó a vivenciar un extraño fenómeno en su casa a principios del mes de diciembre de 1997. Asegura que sin causa aparente, desde el fallecimiento de su cuñado, los electrodomésticos parecían tener vida propia, también los vasos y los platos estallaban solos. Lo más sorprendente es que la entidad del difunto se le aparecía en ocasiones a su esposa (es decir, la hermana del fallecido), con quien incluso había podido conversar.

La primera vez que sintieron la presencia de este espíritu fue en un lugar poco «fantasmagórico»: un supermercado. Ese día, Carmen S. creyó escuchar una voz familiar que la llamaba por su nombre. Era su hermano menor, fallecido dos años atrás a raíz de una enfermedad terminal.

La voz continuó hablándole, a pesar del asombro de la mujer, y le previno que no debía realizar el viaje a Cádiz que planeaba hacer con su marido. Eso fue lo único que le dijo, y según el relato no hubo una presencia física del espíritu. Por supuesto, el matrimonio anuló su viaje y, según comentaron, al hacer posteriormente una revisión al coche comprobaron que tenía los frenos demasiado gastados, por lo que les podría haber ocurrido un accidente.

Sin embargo, la aparición fantasmal no terminó allí: los electrodomésticos se encendían y apagaban solos, los vasos y los platos se movían y estallaban, el contestador automático se ponía en marcha, etc. Además, en dos ocasiones se produjo un fenómeno desconcertante. Sonaba el teléfono y al descolgar Carmen, reconocía la misma voz de su hermano al otro lado del hilo diciendo: «Hola hermana, soy yo. ¿Me reconoces?».

Finalmente, la entidad se le apareció. Fue una noche, mientras él estaba durmiendo. Una luz la despertó y, de esa luz comenzó a modelarse una silueta. Quiso tocarla, pero su mano la «traspasaba». La figura volvió a prevenirle de otro incidente, pero en esta ocasión, desafortunadamente, no siguieron la advertencia, el marido se vio implicado en un trágico accidente de circulación poco tiempo después.

Algunos investigadores del tema han manifestado que los fantasmas son producto del subconsciente y que sólo los ven con la imaginación ciertas personas, pero, si esto fuera cierto, ¿qué explicación podría darse a tantos casos increíbles?

14

¿Hemos vivido vidas anteriores?

El fenómeno de «recordar» o «revivir» situaciones que han ocurrido en otras coordenadas espaciotemporales es algo más común de lo que podría parecernos. Los investigadores de lo oculto creen que la conciencia tiene la capacidad de vivenciar estos fenómenos y por lo tanto podemos hablar de «reencarnación» y «vidas pasadas».

Aunque, a decir verdad, quizá el término «vidas paralelas» sería más exacto si consideramos que las medidas del tiempo las ha inventado el hombre. El tiempo, en realidad, es algo tan ilusorio como todo lo que llamamos «realidad», además es relativo y está condicionado a la noción de espacio.

El hecho de que una persona «recuerde» algo que le ocurrió en otra vida no es, algo tan poco habitual como podríamos creer. Resulta difícil ignorar el hecho de que los textos religiosos de las sociedades más avanzadas del planeta se hayan ocupado, a lo largo de los siglos, de las vidas anteriores, la reencarnación y el karma, y hayan descrito su impacto en nuestras vidas presentes.

El singular caso de Tatti Valo

Se trata de una mujer rusa de 23 años, residente de la ciudad rusa Anapa, situada al sur del país, que asegura que es capaz de hablar 120 idiomas. Según dice, muchas de estas lenguas las conoce a partir de sus vidas anteriores. Lo mas extraño es que quienes la han tratado, pudieron identificar que habla el inglés del siglo XVI, además de chino, persa, egipcio, mongol, vietnamita, coreano y swahili.

> «Son idiomas que recuerdo a partir de mis ultimas vidas. Todas vinieron a mi cabeza hace diez años un día que me encontraba dentro de la clase de matemáticas. De un momento a otro, sentí que había olvidado cómo hablar el ruso, no podía articular ni una sola frase en mi idioma. Sin embargo mi profesor se quedó boquiabierto cuando comencé a hablar en otros idiomas que ni conocía», declaró la joven.

El niño que recordó su otra vida

El caso que hemos visto es ciertamente sorprendente, pero hay otros que incluso son más espectaculares. Como el de Engin Sungur, un niño que vivía en el pueblo turco de Tavla.

Un día, caminando con sus padres por la ladera de una colina, cerca de Hancagiz, a 4 kilómetros de su pueblo, se volvió hacia ellos y les dijo, con total seguridad: «Veo el pueblo donde vivía». Engin había vivido toda la vida en Tavla, con sus padres. Lo que el pequeño quería decir es que Hancagiz había sido su pueblo en una vida anterior. Como la familia era musulmana y creía en la reencarnación, comprendieron enseguida de qué se trataba todo aquello.

A las preguntas de sus padres, respondió con total seguridad. Les dijo que se llamaba Naif Cicek, de qué había trabajado en su vida pasada, cómo era su anterior familia, e incluso les dijo que había viajado a Angora poco antes de morir. Luego, Engin pidió a sus padres que le llevaran a Hancagiz. Quería reencontrarse con su antigua familia.

El encuentro fue increíble. Primero se encontró con la hija del fallecido (él mismo, en su vida anterior). En cuanto vio a la viuda de Naif Cicek la llamó «esposa mía». También pudo decir los nombres de otros siete miembros de la familia. También describió con detalle cómo había sido golpeado por una camioneta al hacer marcha atrás, y contó que había decidido ir a Angora para ver al médico. Naif murió poco después del accidente, en diciembre de 1979, a los 54 años. Engin nació casi tres años después, el 8 de octubre de 1982.

No hay una explicación racional

El tema de vidas pasadas es ciertamente difícil de abordar, sobre todo por los preconceptos que existen al respecto. ¿Acaso la moderna investigación sobre la conciencia puede proporcionarnos algún dato que contribuya a resolver el problema?

Cualquier investigador serio familiarizado con los estados no ordinarios de conciencia puede constatar sin muchas dificultades la existencia de este tipo de experiencias. Pero, como siempre ocurre en cualquier investigación científica, la experiencia puede ser interpretada de muy diversas maneras.

Existen datos manifiestos sobre la posibilidad de vivenciar nuevamente vidas pasadas. Sabemos por ejemplo que, en estados no ordinarios de conciencia, suelen tener lugar –de manera espontánea y al margen de cualquier programación o conocimiento previo sobre el tema– experiencias relacionadas con vidas anteriores. En la mayor parte de los casos, estas experiencias nos proporcionan una información exacta y minuciosa sobre épocas pasadas que puede ser sometida a una verificación objetiva.

Por otra parte, la práctica clínica también indica que numerosos problemas emocionales no parecen originarse en la vida presente sino en experiencias acaecidas en vidas anteriores y que, por consiguiente, los síntomas que acompañan esos desórdenes se alivian o desaparecen completamente después de revivir las experiencias subyacentes de vidas anteriores.

La historia de Engin es sólo una de las miles que se cuentan en todos los confines del planeta. Desde el *déjà vu* (esa misteriosa sensación de «esto lo he vivido antes») hasta informaciones sobre una vida pasada recabadas a través de un médium, se han ofrecido muchos datos como pruebas de vidas pasadas.

Sin embargo, los más escépticos señalan que una buena parte de los datos que se obtienen en una de estas experiencias son confusos o no pueden verificarse. Incluso cuando los detalles pueden ser confirmados, no hay que desechar las coincidencias.

El caso de Engin Sungur, sin embargo, es distinto, porque cuando se trata de niños pequeños, la probabilidad de que los recuerdos sean más nítidos es mayor. Además, es menos probable que tenga la capacidad de inventar esos datos, pues su edad le impide conocer ciertas variables históricas.

En general, cuando un niño tiene una experiencia de este tipo, tiene entre dos y cuatro años, pues con la edad, los recuerdos de vidas pasadas se van desvaneciendo. Un niño de siete años, por ejemplo, es probable que ya no recuerde con detalle su vida anterior. Pero lo más llamativo, en el caso de los niños, es que los recuerdos suelen estar acompañados por peculiaridades de comportamiento o de lenguaje de su anterior personalidad.

Un engaño con intereses

Quienes dudan de la posibilidad de regresar a una vida pasada, apuntan que en muchos de los casos ocurridos en la India, donde niños de familias pobres aseguran haber pertenecido a una casta superior, los padres «alimentaban» la memoria de los pequeños buscando beneficios económicos. En esa sociedad no existe una movilidad real entre las castas, por lo que si un padre logra convencer a los demás de que su hijo es la reencarnación de alguien de una casta superior, tiene más posibilidades de acceder a ella.

Eso sí, esto puede suceder en familias que viven muy cerca de donde vivía el difunto, pues así podrían obtener información precisa. Sin embargo, también se conocen casos en los que el niño y la familia vivían muy lejos del fallecido y no le conocían previamente.

Otra de las críticas que se hace es el hecho de que los recuerdos de vidas pasadas sólo parecen producirse en sociedades que creen en la reencarnación. Sin embargo, hay evidencias de recuerdos de vidas anteriores en culturas occidentales, en las que la reencarnación, por lo general, no se acepta. Más allá de sus creencias, hay muchas personas que parecen ser capaces de tener recuerdos de vidas pasadas cuando su estado de conciencia es alterado, por ejemplo, por medio de la hipnosis.

Engin, por ejemplo, hablaba y actuaba como un adulto, y la que había sido su esposa pudo ver que, mientras el niño hablaba, movía las manos igual que su difunto marido. ¿Significa ello que una parte de la personalidad del muerto había sobrevivido en el niño? Probablemente no. Tiene, más bien, una causa natural.

La terapia de la regresión

En los últimos años se ha puesto de moda una práctica que promete, a través del trabajo de un hipnotizador, conocer qué vida anterior tuvimos. Sin embargo, la mayoría de los investigadores desconfían de la práctica de la regresión porque, dicen, los adultos bajo hipnosis son capaces de adoptar una identidad convincente basada en puras fantasías. Estas fantasías, muchas veces, tienen origen en sus conocimientos históricos, por ejemplo. Es que el subconsciente tiene una enorme capacidad para almacenar información adquirida incluso sin prestar atención. Esta información es la que luego utilizaría la mente de la persona bajo estado hipnótico para inventar una personalidad.

A pesar de las críticas, son muchos los que aseguran haber sido curados de esta forma, de fobias presumiblemente heredadas de una vida anterior. Es por ello que hay una tendencia creciente a consultar a terapeutas expertos en vidas anteriores.

Con todo, hay muchos que defienden esta técnica, y dan argumentos convincentes. Un caso muy especial es el del periodista Ray Bryant, que regresó bajo hipnosis a su vida anterior. Según pudo ver en esa regresión, antes de ser quien es había sido un granjero que vivía en Essex, a finales del siglo pasado. El terapeuta, no conforme con esa simple respuesta, decidió investigar. Descubrió que en Essex se había producido un gran terremoto el 22 de abril de 1884. Entonces, en una sesión de hipnotismo, le pidió a Bryant que retrocediera hasta esa fecha. Así lo hizo, y en ese momento se mostró aterrorizado, diciendo que la casa se estremecía y los platos caían de los estantes.

Casos como éste y el de Engin Sungur parecen desafiar las explicaciones, pero, ¿son prueba de vidas anteriores? Es probable que sí, aunque todavía quedan muchas dudas. Por ejemplo, aún no se sabe qué parte de nosotros es la que se reencarna en realidad, y tampoco es posible saber por qué, si vivimos varias vidas, sólo somos capaces de recordar una, y a veces ni siquiera eso.

15

Poltergeist, la ira de ultratumba

La actividad poltergeist es probablemente, junto con las casas embrujadas, la forma más incomprendida de la actividad paranormal.

La palabra poltergeist significa «fantasma ruidoso». Sean o no fantasmas espíritus, al menos se manifiestan de múltiples y escandalosas formas: ruidos misteriosos, olores desagradables, muebles que se desplazan por su cuenta, fríos súbitos, voces inexplicables, objetos que aparecen y desaparecen, levitación incontrolada de las víctimas..., todo esto son síntomas de lo que suele denominarse «actividad poltergeist».

Los fenómenos poltergeist más frecuentes son las lluvias de piedras, de polvo y de otros objetos pequeños; lanzamientos y desplazamientos de objetos (incluyendo muebles pesados); ruidos intensos, alaridos, luces extrañas, apariciones y olores fétidos. Los poltergeists se han adaptado al desarrollo tecnológico y son capaces de interferir los teléfonos y otros equipos electrónicos, y de encender y apagar las luces y otros aparatos eléctricos. Se dice que ciertos poltergeists pellizcan, muerden y golpean a las personas que los experimentan.

La actividad de los poltergeists por lo general comienza y termina de manera abrupta. Un episodio típico puede durar de varias horas a varios meses, e incluso se ha informado de algunos que se prolongaron durante varios años. La actividad ocurre casi siempre de noche, cuando alguien está presente, generalmente un «agente», que es la persona que parece servir como foco o imán de la actividad.

Cuando se produce un poltergeist todo, en el recinto en que acontece, parece cobrar vida.

Excluyendo los casos modernos que implican a espíritus negativos y violentos, la corriente teórica más extensamente aceptada sobre los fenómenos poltergeist es que la actividad es por lo general causada por una persona de la casa.

Se cree que esta persona (que suele ser una muchacha adolescente) puede manipular inconscientemente los artículos en la casa por psicoquinesis, que no es otra cosa que el poder de mover cosas por la energía generada en el cerebro. Esta energía cinética permanece aún inexplicada, pero los científicos incluso ya establecidos, comienzan a admitir que parece existir realmente.

El caso más famoso de infestación

Uno de los casos de casa embrujada más famosos del mundo es el de la rectoría Borley, en Essex. La rectoría era una vieja casa señorial en deterioro, en el condado inglés de Essex. La leyenda local decía que un monasterio estuvo ubicado sobre el sitio y que un monje del siglo XIII y una joven y hermosa novicia fueron asesinados al tratar de fugarse del lugar para casarse. El monje fue ahorcado y su novia aspirante fue enterrada viva dentro de las paredes de su convento. Los testigos relataron que en ese lugar se oían unas campanas y muchos otros ruidos, además de ver objetos que eran movidos de un lugar a otro.

Aunque molestos, los fantasmas en la rectoría habían sido relativamente pacíficos hasta octubre de 1930, cuando el reverendo Lionel Foyster y su esposa Marianne se mudaron a la casa. Durante su resi-

La rectoría de Essex, famosa por los fenómenos de infestación espiritual, pasó a la historia por la negatividad y violencia que se desencadenaba al acontecer el poltergeist.

dencia, la gente quedaba encerrada en los cuartos, los artículos de la casa desaparecían, las ventanas se rompían, los muebles eran movidos, y mucho más.

Sin embargo, los peores incidentes implicaron a la señora Foyster, como cuando ella fue lanzada de su cama por la noche, abofeteada por manos invisibles, obligada a esquivar objetos pesados que volaron hacia ella día y noche, y fue una vez casi asfixiada con un colchón. Poco después, comenzaron a aparecer una serie de mensajes garabateados sobre las paredes de la casa, escritos por una mano desconocida. Ellos parecían suplicar ayuda a la señora Foyster.

Los investigadores creen que la rectoría de Borley era un catalizador para la actividad paranormal. Había algo sobre el lugar en sí mismo que parecía invitar la energía a entrar y también actuar como un acumulador con el cual Marianne Foyster podría conectarse de alguna manera.

El caso de la niña poltergeist

El año 1984 era como cualquier otro para la familia Resch, de Ohio. Sin embargo, la tranquilidad no duró mucho tiempo, porque pronto se vieron envueltos en un caso de fenómenos poltergeist. John y Joan Resch eran conocidos, en ese entonces, por el extraordinario trabajo que la pareja hacía con hijos adoptivos. Durante varios años, la pareja había acogido más de 250 niños sin hogar y con problemas. En ese momento, la pareja vivía con su hijo Craig, su hija adoptiva Tina, y cuatro hijos adoptivos más.

Sin embargo, su hija Tina se convirtió, en poco tiempo, en el foco de una extraña serie de acontecimientos escalofriantes. Un sábado por la mañana, cuando corría marzo de 1984, todas las luces de la casa de los Resch se encendieron, aunque nadie había tocado el interruptor. John y Joan asumieron que el incidente había sido provocado por sobrecarga en la línea y llamaron por teléfono a la compañía de electricidad local. Les sugirieron que llamasen a un electricista, y lo hicieron. El electricista, por más que lo intentaba, no lograba apagar las luces. Cuando desconectaba una, se encendía otra, sin pausa. Pero lo peor estaba por venir. Ese mismo día, comenzaron a ver lámparas, candeleros de cobre y relojes que volaban por el aire; copas de vino sacudiéndose; la ducha abriéndose sola; y huevos, saliendo y elevándose del cartón por ellos mismos y luego rompiéndose contra el techo; los cuchillos volaban de sus cajones; y aun más cosas.

¿Era Tina la médium?

Tina parecía estar en el centro de todo el caso. Varios objetos la golpearon. El hecho de que Tina fuera el objeto de la actividad es importante: miembros de la familia, vecinos y testigos sin relación entre sí atestiguaron realmente ver a Tina ser golpeada con objetos volantes, que inclusive llegaban de otras partes de la casa, donde ella no estaba.

El hecho llamó la atención de vecinos y curiosos y, también de la prensa. Así, el parapsicólogo William Roll, se enteró del caso, y viajó a visitar a la familia. Por la mañana del lunes, la casa era una ruina y literalmente docenas de testigos confiables, incluso reporteros, los policías, los funcionarios de la Iglesia y los vecinos, habían relatado fenómenos inexplicables en la casa de los Resch. Roll se convenció de que la RSPK estaba actuando en ese momento.

Los escépticos no estaban tan seguros y sabiamente comenzaron a investigar las fotografías hechas por la prensa. Una de las fotos registró a la muchacha cogiendo una lámpara de la mesa por el cable y tironeándola hacia ella. Al mismo tiempo, ella soltaba un grito de horror. Cuando fue presionada, Tina confesó que ella había falsificado algunos fenómenos posteriores. Explicó que había estado aburrida por las largas entrevistas e irritada por la constante atención. Ella esperaba que la prensa se marchara una vez que ellos consiguieran su

Las hermanas Fox están consideradas como las pioneras en el contacto moderno con seres de ultratumba y son conocidas por haber desencadenado fenomenología poltergeist.

historia. Para los escépticos, la película y la confesión eran la prueba positiva de que el poltergeist había sido Tina desde el principio.

Aún así, no todos compartieron aquel punto de vista, incluso la mayoría de los periodistas escépticos. Muchos de ellos siguieron asegurando que ellos habían atestiguado una actividad genuina e inexplicable. También indicaron que los escépticos habían olvidado convenientemente los informes de testigos que jurarían que la actividad había sido dirigida hacia Tina, no originándose desde ella.

¿Qué causó las manifestaciones? Los investigadores creyeron que esto era un caso de ira reprimida y ansiedad buscando una liberación. Por lo visto, habían existido problemas recientes en casa sobre el hecho de que Tina, contra los deseos de John y Joan, había estado buscando recientemente a sus padres naturales. También, el mejor amigo de Tina había terminado su amistad solamente dos días antes de que los acontecimientos comenzaran. Todo esto, según los expertos, se combinó para crear una transferencia externa de la energía. ¿Cómo exactamente? Tal vez nunca lo podamos saber.

16

Psicofonías, las voces de lo invisible

En parapsicología, se conocen como psicofonías a las voces o sonidos paranormales grabadas en cinta magnética, aunque los estudiosos coinciden en que este fenómeno es mucho más amplio y abarca otras formas de recepción y también en otros soportes (teléfono, grabaciones digitales, etc.).

Desde su descubrimiento, la mayoría de los investigadores que se ocuparon del fenómeno aseguraban que las psicofonías recogidas en los magnetófonos eran una manifestación de los difuntos. Sin embargo, esta hipótesis no es la única y desde sus comienzos ha enfrentado a diferentes investigadores y parapsicólogos, entre quienes defienden el origen trascendente del fenómeno, contra quienes defienden que se trata de un fenómeno provocado por el experimentador y su mente.

Desde el descubrimiento casual de Jürgenson, en 1959, se han grabado miles de voces –al parecer pertenecientes a personas ya muertas–, sobre cuyo origen no ha podido encontrarse una explicación racional.

Contactó con la voz de su madre

La historia cuenta que cierto día del mes de junio del año 1959, Friedrich Jürgenson, un famoso pintor y cineasta nacido en Estonia, se

Presentación de Jürgenson (derecha de la imagen) descubridor del fenómeno psicofónico.

adentró en un bosque con el fin de obtener algunas grabaciones del trino de un ave que iba a ser protagonista de uno de los documentales que estaba realizando.

En el silencio de la noche, pudo escuchar y registrar con perfección los «gorjeos» que producían las aves nocturnas. Cuál no fue su sorpresa cuando, al rebobinar la cinta de su pequeño magnetófono portátil, escuchó con perfección que además del canto de los pájaros, se habían grabado unas conversaciones lejanas que hacían alusión al canto de las aves.

Un tanto disgustado, al día siguiente volvió al bosque para repetir la operación e intentar conseguir su propósito. Tras haber examinado bien la zona y haberse asegurado de que nadie iba a entorpecer la grabación, comenzó a grabar. Cuando regresó a su casa y examinó la cinta, pudo encontrar que además de los cantos de las aves, se habían grabado numerosas voces de personas fallecidas que pudo posteriormente identificar, entre las cuales estaba la de su difunta madre que le llamaba con una cariñoso apodo: «Jurgi, Jurgi, mi pequeño Jurgi...». Jürgenson repitió el experimento y tantas veces como experimentaba, obtenía grabaciones de las voces de los difuntos.

¿Los auténticos precursores?

Aunque Jürgenson está considerado como el descubridor de las psicofonías, en la historia se cuenta que quizá las primeras voces grabadas en cinta magnética, hayan sido las que se obtuvieron en el laboratorio de física de la Universidad del Sagrado Corazón de Milán por los padres Gemelli y Ernetti el 17 de septiembre de 1952. Ambos sacerdotes estaban grabando cantos gregorianos en un antiguo aparato, que utilizaba un alambre a modo de cinta magnética. En una de sus sesiones, grabaron una voz que no debería estar allí. A este primer registro le sucedieron otros y las investigaciones de ambos sacerdotes sobre este fenómeno se prolongó durante toda la década, haciendo diversas pruebas de laboratorio sobre la obtención de voces.

Pocos años más tarde, concretamente en 1956, el investigador norteamericano Raymon Bayless también captó voces de origen paranormal. Durante los trabajos de investigación que estaba llevando a cabo con el psíquico Attila von Slazay, quedaron grabadas en la cinta magnetofónica voces que no se habían escuchado durante la sesión mediúmnica. Bayless intentó dar a conocer sus descubrimientos a la comunidad parapsicológica, pero sufrió la indiferencia de sus colegas que no dieron importancia al fenómeno.

El descubrimiento de Jürgenson hizo que muchos hombres de ciencia quedaran fascinados por el extraño fenómeno. El doctor Konstantin Raudive, ex profesor de psicología en las universidades de Upsala y Riga, se enteró en 1965 de los experimentos de Jürgenson. Así, él también comenzó a grabar voces misteriosas, y sumó a su trabajo al doctor Alex Schneider, médico de Sankt Gallen (Suiza), y a Theodor Rudolph, especialista en ingeniería electrónica de alta frecuencia. Estos científicos grabaron, entre 1965 y 1974, más de 100.000 cintas bajo estrictas condiciones de laboratorio.

Mucha gente comenzó a experimentar, siguiendo las instrucciones de sus predecesores. Colin Smythe, presidente de la famosa editorial inglesa Colin Smithe Ltd., había comprado una cinta nueva y había seguido las indicaciones del doctor Raudive acerca de cómo «ponerse en contacto» con las voces. Un cierto ritmo, parecido a una voz humana, había sido registrado, pero no resultaba inteligible. Peter Bander, que trabajaba en la misma editorial, escuchó dos o tres veces el segmento principal de la cinta y, de pronto, entendió lo que decía la voz. Era femenina, y decía «Mach die Tür mal auf»: «Abre la puerta», en alemán.

El señor Bander reconoció inmediatamente la voz de su madre; durante los años que precedieron a la muerte de ésta, solían mantener correspondencia por medio de cassettes. El comentario era pertinente: sus colegas comentaban a menudo que Bander era poco sociable, porque siempre cerraba la puerta de su despacho. Sorprendido, el señor Bander pidió a dos personas que no hablaban alemán que escucharan la grabación y escribieran fonéticamente lo que decía. Sus versiones correspondieron exactamente a lo que él había oído, y Peter Bander quedó convencido de la autenticidad de las voces.

Las psicoimágenes: el más allá en vídeo

Ya no sólo bastan las fotos de fantasmas o espectros, y ni siquiera las psicofonías: ahora, con la tecnología actual se pueden grabar imágenes y voces en un solo paso. Gracias a los equipos de televisión y vídeo, afirman algunos, se pueden ver imágenes del más allá.

Uno de los métodos más populares para la obtención de imágenes paranormales en vídeo es el que utilizaba el alemán Klaus Schrieber. Schriber trabajaba como técnico de sistemas de seguridad contra incendios en la ciudad de Aachen. A mediados de los años ochenta, Schrieber experimentaba con la obtención de psicofonías, deseoso de captar las voces de sus seres queridos ya fallecidos.

Fue en mayo de 1984 cuando Klaus Schrieber obtuvo una psicofonía que le invitaba a que encendiera el televisor. Desde ese momento comenzó a realizar una serie de experiencias utilizando el televisor y una cámara de vídeo para poder conseguir las imágenes de sus seres queridos en la pantalla de su televisión.

Schrieber apuntó la videocámara hacia la pantalla del televisor de modo que la propia imagen de la cámara se viese reflejada en la pantalla. A través de este sencillo sistema, Schrieber consiguió las imágenes de sus familiares fallecidos, otros rostros de personas que no ha podido identificar y hasta algunos personajes públicos ya muertos y popularmente conocidos. Entre sus imágenes más famosas, se encuentra la de la actriz Romy Schneider o la del rey Ludwick de Baviera.

Un mensaje de ultratumba

Aunque en un principio (e incluso aún hoy) son muchos los investigadores que realizan grabaciones con el único propósito de captar psicofonías, lo cierto es que todavía hay muchos casos en los que la grabación se produce de manera totalmente accidental. De hecho, quizá con revisar grabaciones viejas, cualquier de nosotros puede encontrar «voces del más allá» en ellas. Algo así le ocurrió a Alfonso Pérez Huenchul, un hombre que jamás se había interesado por fenómenos paranormales. En agosto de 2002, su mujer decidió hacerle un regalo a su hija, y grabó un vídeo en el que aparecía el grupo brasileño Axe Bahía, del que la joven era fan. Pero la sorpresa llegó cuando observaron que en la grabación no sólo aparecían los miembros del grupo, sino que también se podían escuchar unas voces raras que, según Alfonso, eran las de su hermana y su madre, las dos fallecidas 30 años atrás.

Según su testimonio, se trata de un mensaje que se puede apreciar en medio de una canción de Axe Bahía y que dice, entre otras cosas, lo siguiente: «Ten fuerza, esfuérzate, mantén la paz en tu hogar». Alfonso asegura que es la voz de su hermana y de su madre, y que este insólito hecho le ha ayudado a comprender que quienes mueren no dejan de estar con nosotros. Aunque los parapsicólogos que han visto la grabación la han calificado como «psicofonía» o «transcomunicación», a Alfonso sólo le interesan las voces de su hermana y su madre, más allá de lo que digan los especialistas.

¿Cómo se producen las psicofonías?

Los expertos no se ponen de acuerdo acerca del proceso a través del cual se producen las psicofonías. Algunos plantean la hipótesis de que cuando el ser humano fallece, existe una energía que se transforma en algo que hoy desconoce la ciencia, y que las paraciencias comprenden como espíritu. Entonces, tal como la energía eólica, por ejemplo, se transforma en energía eléctrica, y ésta aplicada a una bombilla se transforma en energía calorífica y lumínica; la energía vital que mueve al ser humano cuando éste muere debe transformarse en alguna clase de energía.

Quizá el cuerpo físico se convertirá en polvo, pero... ¿en qué se convierte esa fuerza motriz que permite, de alguna manera, que la vida con todas sus características se desarrolle? Los expertos creen que esa energía debe transformarse en algo, y que ese algo puede ser captado a través de cintas magnéticas.

17

Cuando los espíritus nos ayudan

La relación con los espíritus de los muertos no tiene por qué ser, como podría pensarse en una primera instancia, de un carácter traumático. Es cierto que las películas de terror, e incluso muchos relatos, nos dan la idea de que los espíritus pueden ser malignos, pero muchos afirman que esto no es así. Existen evidencias de que el espíritu de un hombre muerto puede tomar el cuerpo de otro y producir, a través de él, obras de arte (como música u obras literarias), e incluso practicar operaciones quirúrgicas.

Lógicamente, estos hechos no han podido ser demostrados científicamente. Muchos se preguntan cómo es posible que un muerto pueda escribir novelas, poemas, tratados científicos u obras de teatro, y plantean la posibilidad de que se trate de un fraude montado por los que sí están vivos y pretenden una fama rápida.

Escritura automática, los trazos del más allá

Básicamente, el fenómeno de la escritura automática consiste en que un médium «escribe» lo que le dicta un espíritu ajeno, de tal forma que el lápiz o la pluma se mueven prácticamente solos sobre la hoja de papel. Son muchos los «escritores» que alegan haber recibido el influjo de un espíritu: aseguran que lo que escribieron, en realidad no lo escribieron ellos, sino el espíritu de un muerto que simplemente utilizaba su cuerpo para dejar una obra en el «más acá». Posiblemente el escritor psíquico más importante y prolífico del mundo sea un brasileño que escribe en un portugués que a veces resulta muy erudito y técnico. Su nombre es Francisco Cándido («Chico») Xavier, y se convirtió, ciertamente, en una de las figuras más populares de Río, donde ha dedicado su vida a ayudar a los pobres y a producir una buena cantidad de *best sellers*. Contra las críticas que ha recibido de los más escépticos, es justo decir que no acepta ninguna retribución por esos libros, ni se atribuye ningún mérito, porque, como él mismo dice, no los escribió él; lo hicieron autores brasileños ya fallecidos.

Entre «sus» libros más famosos encontramos un volumen de poesías llamado «Parnaso de ultratumba, que contiene 259 poemas de estilos muy diferentes y está firmado por 56 importantes figuras literarias del mundo de lengua portuguesa... todas las cuales han muerto. Pero ¿cómo saber que no se trata de un fraude? En realidad, es imposible comprobarlo, porque nada de lo dicho hasta ahora ofrece pruebas de que la escritura automática de Chico Xavier no sea un fraude, consciente o inconsciente. Lo cierto es que Xavier no es totalmente iletrado; fue a la escuela elemental. Pero el vocabulario que emplea resulta difícil hasta para personas cultas; él mismo dice que, a menudo, no entiende ni una palabra. Además, resulta difícil pensar que un impostor consciente no aceptaría de muy buen grado los millones de dólares que han producido sus libros a lo largo de los años.

Por otra parte, los testigos de la escritura «automática» Xavier son muchísimos, pues la realizaba con frecuencia en público, durante unas tres horas en cada ocasión, y cualquier persona interesada podía presenciarlo. Inclusive, un testigo dijo que escribe como si su mano estuviera conectada con una pila eléctrica.

El dictado a través de la ouija

Algunos de los «escritores automáticos» afirman que el espíritu que les dicta «entra» de alguna manera en su cuerpo, porque se adueña de su mano y le hace escribir algo que el escritor vivo no siempre comprende, pero hay otras formas de comunicación. La señora Pearl Curran, ama de casa británica de principios de siglo, tuvo contacto con el espíritu que luego le dictaría una enorme cantidad de obras literarias entre 1913 y 1938, por medio de la ouija. La ouija es un tablero provisto de letras y números a través del cual los espíritus responden a las preguntas que se les plantean. Según contó la señora Curran, tras unos primeros «balbuceos», un espíritu empezó a frecuentar su

La señora Curran, una de las grandes autoras canalizadas, que ha llegado a escribir numerosas obras al dictado de los espíritus del más allá, utilizando escritura automática y el tablero de la ouija.

ouija; se trataba de un espíritu femenino: su nombre era *Patience Worth*. Patience Worth dictó a la señora Curran, primero a través de la ouija y después por escritura automática, numerosas obras. Entre ellas destaca la extensa novela titulada *Hope Trueblood,* que la crítica británica, sin conocer su origen, trató muy favorablemente: su obra fue estudiada tanto por los investigadores psíquicos como por los académicos. Su inglés arcaico fue escrupulosamente analizado, y se llegó a la conclusión de que tenía un gran estilo literario.

Sin embargo, además de dictarle, el espíritu le contó quién había sido en la vida anterior: había trabajado en el campo, educada por los cuáqueros, en el siglo XVII, en Inglaterra. Más tarde había emigrado a América y, poco después de su llegada al Nuevo Continente, había sido asesinada por los Pieles Rojas. Entonces, ¿cómo era posible que produjera unas obras de tanto estilo? La señora Curran, por su parte, era un ama de casa más bien inculta, y Patience Worth, humilde muchacha cuáquera, tampoco pudo haber adquirido tanta cultura. Según opinan algunos espiritualistas, es probable que haya obtenido una suerte de «aprendizaje *postmortem*».

Conversando con los escritores del más allá

Los casos de escritura automática no se circunscriben solamente a aquellos en los que una persona escribe lo que le «dicta» un muerto. Estos médium tan particulares son también capaces de mantener conversaciones con los escritores muertos, o al menos facilitarlas con otra persona viva.

Cómo ser un escritor automatizado

En teoría, todos podemos ser parte de un fenómeno de «escritura automática». Basta con hacer el experimento de apoyar muy ligeramente un lápiz en una hoja en blanco. Es preciso alejar la atención de la mano, y dejar que ésta se mueva como quiera. El principiante tiene que ser muy paciente, ya que pueden pasar horas antes de que la pluma empiece a moverse, aparentemente, por su cuenta. Algunas personas nunca lo consiguen, y sólo obtienen garabatos sin sentido o letras amontonadas, pero otros reciben mensajes coherentes, inteligentes y aparentemente llenos de sentido; incluso algunas veces transcriben sus comunicaciones en una letra muy diferente de la suya propia.

Es el caso de la médium Hester Dowden, que durante su vida produjo una gran cantidad de escrituras automáticas, incluso con los ojos vendados. Sin embargo, en 1947, hizo algo más. Percy Allen, un escritor, fue invitado a participar de una sesión en la que la médium le permitió tener «conversaciones» por escrito con supuestos dramaturgos isabelinos. Estos comunicantes explicaron que las obras de Shakespeare habían sido fruto de un trabajo en equipo. Según ellos, William Shakespeare y Edward de Vere, eran los principales colaboradores, mientras Beaumont y Fletcher, autores teatrales de segunda fila, proporcionaban ocasionalmente material adicional. Francis Bacon actuaba como una especie de corrector de estilo. La señora Dowden escribió, durante su trance, que Bacon había subrayado una y otra vez que el conjunto literario que el mundo conoce como la obra de Shakespeare fue una creación colectiva. El mismo Shakespeare dijo, según afirma la señora Dowden: «Yo sabía perfectamente qué iba a ser eficaz en el escenario. Encontraba un argumento, consultaba con De Vere y formaba la estructura del edificio. Luego, él decoraba esa estructura.

¿Cuán fiable puede ser el testimonio de esta mujer? Eso es lo que muchos se preguntan al conocer el caso. Y no es para menos. Si diéramos crédito a sus palabras, tendríamos que reconocer que lo que conocemos de historia de la literatura tiene muy poco que ver con la realidad. Los detractores de estas hipótesis, y de los médium en general, apuntan que quizá la literatura automática no sea otra cosa que la dramatización de una creatividad profunda o reprimida que encuentra expresión por medios que apenas entendemos.

Grandes autores, mejores inspiraciones

Después de todo, no olvidemos que muchos escritores y artistas han «escuchado a sus musas» a lo largo de los siglos, y de ello hay una enorme cantidad de anécdotas. Como la que cuenta que a menudo, cuando Charles Dickens dormitaba en su sillón, una serie de personajes se aparecían ante él «como si suplicaran que los escribiera». También Mary Shelley soñó su Frankenstein, y Robert Louis Stevenson confiaba en sus sueños para inventar cuentos, incluyendo a los alegóricos doctor Jekyll y mister Hyde. Sin embargo, cuando un escritor de la talla de Charles Dickens dice que un cuento «se escribía solo», sólo podemos suponer que no quería decir que su pluma se desplazaba sobre el papel: en la práctica, la inspiración posee unos mecanismos muy diferentes de los que caracterizan la escritura automática.

Los cirujanos de ultratumba

Si el caso de los escritores «inspirados» por espíritus de personas muertas es asombroso, aún más lo son los relacionados con la medicina. Aunque nos pueda parecer increíble, hay testimonios que afirman que un hombre muerto hace décadas puede tomar posesión del cuerpo de otro, efectuar a través de él una operación imaginaria... y conseguir una curación.

El que a continuación relataremos es el caso de un reputado cirujano y especialista en oftalmología, que falleció en 1937. Su nombre era William Lang. Este médico, según el médium George Chapman, sigue practicando la medicina. Aun fallecido, se le podía consultar en la clínica de Aylesbury (en Buckinghamshire, Inglaterra). Suena extraordinario, ¿verdad? Al parecer, desde 1946, casi diez años después de su muerte, el doctor Lang ha proseguido su labor a través del médium británico George Chapman, y la asociación de ambos se ha convertido en uno de los casos más interesantes de las actividades mediúmnicas.

El médium y el médico ya fallecido se «conocieron» a raíz de un hecho doloroso: Chapman había perdido a su pequeña hija un mes después de su nacimiento, en 1945. Estaba obsesionado con saber si existía vida después de la muerte, y por ello uno de sus colegas le hizo asistir a varias sesiones espiritistas, donde recibió «mensajes» que le indicaban ya que había sido elegido para convertirse en sanador. Esta tarea no se concretó hasta que Lang empezó a «aparecer» durante sus sesiones mediúmnicas.

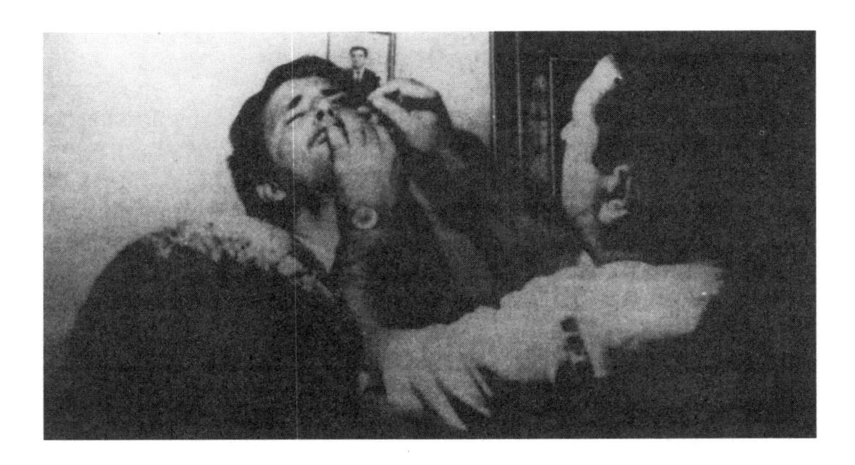

Las curaciones milagrosas y mediúmnicas resaltan por su espectacularidad, pero siguen siendo puestas en tela de juicio. El fraude planea sobre ellas.

Según relató, el «procedimiento» sería el siguiente: «Durante la sesión, primero debo alcanzar el estado de trance. Luego, el doctor Lang, o mejor dicho su espíritu, asume mi cuerpo. Entonces, ayudado por su hijo Basil (también médico en su vida terrenal) efectúa operaciones en el «cuerpo etérico». Chapman cree que el doctor Lang utiliza instrumentos quirúrgicos, aunque ninguno de ellos es visible, así como tampoco se ven las secuelas de la operación.

Miembros de la familia de Lang y varios de sus colegas médicos tuvieron sesiones regulares con Chapman, en el transcurso de las cuales hablaron con el difunto cirujano; todos ellos certificaron su identidad. Además, quienes han conocido personalmente a George Chapman, y a través de él han hablado con el doctor Lang, saben que existe una gran diferencia entre el tono de la voz, el vocabulario y los tics verbales del Chapman real y los del Chapman controlado por Lang.

Quienes no creen que esta relación de mediumnidad sea cierta, apuntan que se han dado casos de ciertas personas que han conseguido ofrecer intencionadamente o bajo hipnosis representaciones muy convincentes. De hecho, hay algunos tipos de inestabilidad mental catalogados por la psiquiatría moderna que permiten que salga a la superficie otra personalidad. Lo único que cabe decir en este caso es que, o bien Chapman es un actor consumado, capaz de engañar incluso a quienes conocieron íntimamente a Lang, o el difunto cirujano realmente toma su cuerpo y opera a través de él.

Con todo, lo más importante no son las sesiones mediúmnicas en sí, en las que se realizan las operaciones quirúrgicas, sino los resultados de éstas. A juzgar por la cantidad de personas que se han sometido a estas sesiones, y al éxito que dicen ha tenido, la práctica del doctor Lang parece ser cierta. De hecho, sus «pacientes» aseguran que ha sido capaz de curar una amplia variedad de dolencias, especialmente aquellas que con la medicina «tradicional» no habían podido ser sanadas.

Según una definición actual, podríamos decir que Chapman es un sanador en estado de trance, a través del cual el doctor Lang realiza lo que cabría denominar «operaciones de espíritu», algo por encima del cuerpo. El doctor Lang opera –según él mismo explica– sobre el cuerpo del espíritu, la esencia invisible de cada vida humana, que refleja mala salud en el cuerpo físico y a través de la cual éste puede ser influenciado.

Los relatos de los pacientes acerca de estas «operaciones de espíritu» son escalofriantes. Morton B. Jackson, abogado de Los Ángeles (Estados Unidos), se trató con el doctor Lang a raíz de una espondilosis reumática que le aquejaba desde hacía diez años. «Me pidió que, en posición sentada y erguida, me inclinara levemente hacia adelante, y aplicó ligeramente sus dedos en varios puntos arriba y abajo de mi columna vertebral. Yo sentía el contacto de instrumentos, aunque nunca vi que utilizara ninguno.» En este caso no hubo cura milagrosa, pero sí una cierta ayuda y menos dependencia respecto a la medicación.

Sin embargo, hay casos que podrían catalogarse prácticamente como milagrosos. Como el de Joseph Tanguy, un joven que fue sometido en 1974 a una operación para explorar un tumor cerebral. Se diagnosticó que era maligno, y el tiempo que le quedaba de vida estaba contado. Sin embargo, después de tres tratamientos a lo largo de varios meses con el doctor Lang, el tumor se redujo gradualmente, y las subsiguientes pruebas médicas demostraron que había desaparecido por completo.

18

Están entre nosotros: el enigma de los ángeles

Desde los tiempos bíblicos, cuando los ángeles anunciaron el nacimiento de Jesús, estos seres han sido vistos por personas en todo el mundo. Incluso, la primera referencia de ángeles registrada tiene más de 10.000 años. Sin embargo, en los últimos años se ha detectado un gran crecimiento de relatos de personas que aseguran haber tenido contacto con estos seres tan especiales. Ahora, a principios del siglo XXI, se tienen más noticias de visiones de ángeles como nunca antes.

Una encuesta nacional realizada en Estados Unidos mostró que el 69 por ciento de la población cree en los ángeles y que el 32 por ciento narró un encuentro con un ángel. Esto significa que 81 millones de personas en los Estados Unidos pueden haberse encontrado con un ángel. ¿Estarán todos fabulando o alucinando? ¿O será que los ángeles realmente se acercan a los hombres?

Cuando los ángeles se aparecen

Las vidas de muchas personas han cambiado a raíz de lo que ellos han considerado una intervención divina, un encuentro con un ángel. Muchos encuentros actuales con ángeles están relacionados con cu-

¿Qué son los ángeles?

Según la creencia cristiana, el ángel es un ser no humano, perfecto, incorruptible e inmortal. La tradición dice que todos los ángeles fueron creados por Dios simultáneamente, en un número considerable, para ayudar al hombre en su largo peregrinaje hacia Él. Su trabajo consiste en iluminar ese camino, y por ello es considerado como mensajero, conector, transmisor entre Dios y los hombres. Su naturaleza no incluye el cuerpo, aunque a veces ellos pueden ser vistos en cuerpos y aparecer como hombres. Todas las religiones, en mayor o menor medida creen en un ser con apariencia, virtudes y «funciones» similares.

raciones, algunos dando ayuda práctica y otros ofreciendo consuelo y tranquilidad en momentos de dolor y ansiedad, o causando un cambio en el estilo de vida. Los casos que citaremos han sido descritos por aquel (algunas veces más de uno) a quien el ángel se le apareció, y, como veremos, dejarán sólo a los más escépticos lectores con alguna duda de que estos encuentros fueron experiencias reales.

1978 – Salvada por ángel. Una niña llamada Hilary Russell vive en Miami Beach, Florida. En un día tempestuoso del invierno de 1978 queda atrapada en un remolino de agua, a la edad de seis años. Sus padres, en la orilla, la ven, y por la virulencia de las aguas dan por seguro que se va a ahogar. En ese momento, su padre, Richard, ve a un hombre de cabello moreno y de unos 30 años que está de pie junto a Hilary. Según relató más tarde, el extraño «simplemente la recogió del agua y la sostuvo en sus brazos».

Hilary recuerda que el hombre era moreno, «y que el vello de sus brazos era negro, y que brillaba a pesar de que estaba muy nublado». La madre de Hilary se quedó asombrada por la facilidad con la que el hombre avanzaba a través de las olas, que le llegaban sólo hasta el pecho aunque parecía estar mucho más adentrado en el mar. Cuando regresaron a la orilla, el hombre dejó a Hilary en brazos de Susan. Ella le dio las gracias. Con Hilary a salvo, Richard y Susan se abrazaron, pero cuando se volvieron hacia atrás, el hombre ya no estaba.

Como sabemos, los ángeles protectores (o de la guarda) son capaces de adoptar formas humanas, tal como, incluso, puede hacer la

Virgen. Es, opinan los expertos, una forma de acercarse a los hombres sin causar temor.

1992 – Una angélica luz blanca. Este caso también ocurrió en el mar, se produjo en julio de 1992. En ese momento, Donna Terody y su marido, Peter, pilotaban desde Palm Beach, Florida, hasta las Bahamas, su yate de 2 metros y medio. Debieron enfrentarse a una potente tormenta que abatió la embarcación. Donna estaba segura de que iba a morir, y de hecho quería que así fuera, porque había estado sufriendo de dolorosos problemas de riñón desde los 4 años, y prácticamente había permanecido en cama desde entonces. Durante la tormenta, rezó: «Dios, haz que la muerte sea rápida y sin dolor». Pero luego, según relata, sintió que una fuerza la empujaba hacia arriba, al tiempo que veía una luz muy blanca, brillante e intensa. «Al entrar en ella, me sentí invadida por un sentimiento de paz y tranquilidad. Aparecieron varios ángeles y flotaban hacia mí, llenándome con su luz sanadora». Por supuesto, Terody pensaba que estaba muerta. Pero una voz le dijo: «Todavía tienes trabajo que hacer. Tienes que volver». La voz provenía de un ángel gigantesco, que se desvaneció rápidamente. Ella se quedó con una profunda sensación de bienestar. «Los ángeles me curaron. Me hicieron volver para pintar ángeles», comentó. Desde entonces, se dedica a pintar, en tonos pastel, cientos de ángeles que, ella cree, sirven para reconfortar a los demás y ayudarles a contactarse con los ángeles.

Quienes han estudiado el tema creen que el episodio que vivió Donna fue real. Pero matizan que tal vez los primeros ángeles pudieron ser imaginados, mientras que el último, el más grande, pudo haber sido la presencia verdadera de un ángel que le habló en nombre de Jesucristo. De hecho, no es el único caso en el que los ángeles parecen interceder para salvar a un hombre con la fuerza de Dios. El siguiente relato es absolutamente fascinante, y desafía todas las leyes naturales conocidas por el hombre.

1994 – Ángeles para un guardabosque. Se trata del caso de Gary Corner, un veterano guardabosque que había partido junto con tres voluntarios para rescatar a un escalador que se había quedado colgado en una pared. Era un caluroso día 30 de agosto de 1994, y Gary se precipitaba hacia la superficie plana del suelo de un acantilado en Cape Disappointment, Washington. Pensó que iba a morir. Sin embargo, justo antes de terminar la caída, a los 9 o 12 metros de una altura de 27 m, el descenso se detuvo de repente mientras sentía que algo le empujaba en sentido contrario hacia la superficie rocosa del acantilado. «Definitivamente, se trataba de la mano de Dios o de un ángel», asegura Corner. «Justo en mi esternón, podía sentir esa tremenda fuerza que me empujaba hacia atrás. De repente sentí una enorme calidez en mi corazón, era como si un ser de amor me abrazara». Forner pudo escalar hasta lo alto de la montaña utilizando un entramado de raíces de árboles. Mientras tanto, lejos de allí, sucedía otro hecho curioso: la esposa de Corner, que se encontraba en casa esa tarde, aseguró: «Escuché una leve voz en mi mente que me decía, que Gary se había caído, pero que estaba bien».

Los encuentros con ángeles parecen proporcionar en algunos casos la salida de un peligro, pero en otros permiten disipar el miedo a tal peligro, es decir, un cambio de actitud, no de circunstancias. El hilo común es un cambio profundo en las vidas de aquellos que han tenido una experiencia con ángeles.

El caso de la anciana-ángel

Una historia extraordinaria, que no tiene que ver con sanaciones y quizá no es tan espectacular como las anteriores, fue narrada por Elisabeth Hortin, de 85 años, de Plymouth en Inglaterra. Cuenta que un día estaba haciendo las compras en el supermercado y que, con gran esfuerzo (porque tenía problemas en sus huesos), colocaba sus víveres en su carro de la compra. En ese momento se dio cuenta de que una «pequeña mujer anciana» estaba parada a su lado. La mujer anciana le dijo que había venido a llevarla a casa.

La señora Hortin aceptó la ayuda ofrecida y hasta permitió a su ayudante cuidar de la compra mientras iba al quiosco de periódicos, algo que normalmente no hubiera permitido hacer a un extraño. Cuando regresó, escuchó claramente en su mente las palabras: «Él hará que Sus ángeles se hagan cargo de ti». En ese momento, vio a su ayudante transformarse por un momento en un gran ángel luminoso. La pequeña mujer anciana la condujo amablemente al aparcamiento, donde un caballero les estaba esperando para cargar la compra en el coche y conducirles a todos a la casa de la señora Hortin, sin preguntarle dónde vivía. Le llevó los víveres directamente a la cocina, pero cuando se volvió para agradecer a los ayudantes no estaban en ningún lugar visible. La señora Hortin cree que Dios le envió un ángel para ayudarla cuando realmente lo necesitó.

A pesar de todos los relatos que hemos conocido (una breve selección), hay quienes creen que las apariciones de los ángeles son como una especie de «alucinación», probablemente creada por la cultura y las creencias propias. Puesto que la experiencia personal no es científicamente demostrable, algunos «expertos» piensan que es mejor desecharlas a todas: Por supuesto, otros dicen que lo que podría significar el hecho más importante en la vida de una persona debería por supuesto ser compartida y narrada.

19

Cuando la Virgen se aparece

Si hay un fenómeno tan universal como inexplicable, ese es el de las apariciones de la Virgen. Son sucesos inexplicables, pero paradójicamente regulares. Las apariciones celestiales, que para muchos son manifestaciones divinas, para otros son simples alucinaciones. Sin embargo, ¿cómo es posible que en puntos muy lejanos del planeta, y que en épocas que nada tienen en común, se hallan producido tantas alucinaciones? ¿O será que estas apariciones son algo más?

Los escépticos se preguntan, cómo no, por la autenticidad de las apariciones de la Virgen, y analizan qué se esconde detrás de estos sucesos. Pero lo cierto es que casi en cada pueblo, hay una virgen distinta que, según la leyenda, se apareció o fue descubierta de forma misteriosa. ¿Son historias reales? ¿O hay algo más tras todos estos sucesos?

Las apariciones y mensajes de la madre de Jesús para mucha gente son un signo de protección y esperanza mientras que para otros no son nada más que inventos y alucinaciones. Después de todo, se trata de una cuestión de fe.

Sin embargo, ¿qué son exactamente las apariciones de la Virgen? Para los creyentes, significa que desde el cielo la madre intercede por sus hijos. En las apariciones, Dios permite que el cuerpo glorificado de la Virgen se haga visible para algunas personas. Se supone que María, por tener un cuerpo glorioso, puede tomar diferentes características físicas: su edad, estatura, apariencia, forma de hablar, vestuario. También la Virgen puede comunicarse milagrosamente a través de sólo locuciones: la persona sólo escucha a la virgen.

Las apariciones de la Virgen en España

La península Ibérica parece ser de predilección para la madre de Jesús. Al margen de lo acontecido en Umbe en otras localizaciones la virgen realiza advertencias, como en San Lorenzo de El Escorial, un pueblo cercano a Madrid. Las visiones de Amparo Cuevas comenzaron en 1980. Según sus seguidores, la gran prueba que la Virgen ha realizado aquí es la llamada danza del sol. Una creyente, Guadalupe Ridruejo, cuenta así la experiencia: «El cielo, que estaba nublado, se despejó, y apareció el sol, de tal modo que podíamos mirarlo sin que dañara la vista. Entonces tuvo lugar la danza: el sol giraba, se movía, se acercaba mucho a nosotros y cambiaba de tonalidad, desde el azul, pasando al amarillo intenso, hasta el verde. Luego, fue como si todo explotara».

Otras apariciones en España se hicieron de inmediato famosas. Como las sucedidas en el Palmar de Troya, un pueblo andaluz, cerca de Utrera, el 3 de marzo de 1968: cuatro niños dijeron haber visto a la Virgen sobre un arbusto en la finca La Alcaparrosa. Iban a recoger un ramo de flores silvestres para adorar, por orden de la maestra, la imagen de la Virgen, cuando fue que tuvieron una aparición...

La Virgen de Umbe

En Umbe, un monte situado a 15 kilómetros de Bilbao, sucedió un hecho increíble. Todo se inició la noche del 25 de marzo de 1941. La visionaria, Felisa Sistiaga, cuenta en su diario que ese día, sobre las doce de la noche, se coló por la ventana un gran resplandor, seguido de unos golpes en la puerta. Entonces vio, en un rincón de la casa, a la Virgen vestida de Dolorosa, sobre una silla de rodilla y acompañada de dos candelabros con sus velas, pero Felisa tuvo que esperar hasta mayo de 1969, durante el mes de María, para que la aparición le dirigiera la palabra. A partir de entonces comienzan los mensajes, entre los que destaca el del agua del pozo: «Desde hoy –le dijo la Virgen–, esta agua queda bendecida para siempre y curará a los enfermos y limpiará a los sanos que se laven la cara y los pies.» Allí hay ahora un santuario.

Las vírgenes lloronas

Existe un fenómeno de lo más sorprendente dentro del mundo paranormal, que son aquellas estatuas inanimadas de mármol, yeso o madera representando una Virgen o un Cristo, que misteriosamente comienzan a «llorar» lágrimas de agua y sangre. Las diversas explicaciones que se han barajado son: la intervención divina, el fenómeno paranormal (fenómenos poltergeist producidos por la sugestión de una persona, propiciando la materialización de la sangre), y el fraude.

Un caso llamativo es el que ocurrió en las afueras de la ciudad argentina de Nuestra Señora de Itatí, una ciudad que alberga la imagen que, según los lugareños, vierte lágrimas de sangre. Los primeros que la vieron llorar fueron los miembros de la familia Zotelo. Cuentan que la estatua, de no más de cuarenta centímetros de altura, comenzó a derramar lágrimas de sangre.

Lo más extraño es que la familia, que tenía la imagen (de unos 40 centímetros) en el salón de su casa, estaba viendo la televisión cuando vieron a la estatua llorar sangre. En un principio, dicen, el temor se apoderó de ellos, pronto comprendieron que la Virgen, Nuestra Señora de Itatí, intentaba transmitirles un mensaje. Decidieron llevar la imagen a la casa de Bernardina Aguilera, la abuela de la familia, para mostrarle tal acontecimiento, pero la estatuilla dejó de derramar lágrimas. Al día siguiente, cuando la estatuilla estaba nuevamente en su hogar, volvió a producirse el mismo fenómeno. Los vecinos de todo el pueblo se dirigieron multitudinariamente a la casa para ver la imagen.

Según cuenta el párroco del pueblo, la Virgen quiere decir algo a la familia Zotelo, pero el cabeza de familia, Antonio Zotelo, va más allá y asegura que la verdadera razón de este extraordinario fenómeno es la proximidad de una guerra.

La Virgen en una ventana de Chile

Las apariciones de la Virgen se dan, a veces, en los sitios más insospechados. En el caso que nos ocupa, la imagen es dibujada en la ventana del segundo piso de una casa en Santiago de Chile por un adorno navideño. La figura, para muchos, se puede identificar como la Virgen del Carmen con el Niño Jesús en sus brazos.

Algunos vecinos escépticos le piden al dueño de casa que les permita entrar a la habitación donde se produce el fenómeno (que era utilizada como bodega), que en ese momento estaba desprovista de muebles. Entre la gente que mira, se encuentran los que creen en el milagro, y quienes solamente observan un proceso físico de refracción y reflejo de luz. En otras personas, la figura provoca interrogantes e incluso asociaciones proféticas.

La dueña de casa, Patricia Aravena, comenta que le ha impresionado la silueta. «Para mí es algo especial, un anuncio de algo que va a pasar. No puedo decir con certeza que es la Virgen, pero creo que para el mundo cristiano es un tipo de anuncio».

Celmira Concha, una vecina, comenta que Luis Miranda, el dueño de casa, abrió las ventanas y adentro no había nada que proyectara esa imagen. ¿Fue todo una ilusión óptica o de verdad se manifestaron las fuerzas celestiales? El caso sigue sin explicación.

Una lista de apariciones que no acaba

Las apariciones de la virgen se podrían contar por decenas en todo el mundo, y hacer un repaso de todas nos insumiría más de un libro. A continuación, una breve selección de estos casos que no tienen explicación racional.

- **La Virgen en Nicaragua:** en el mes de diciembre de 1990, un joven costarricense, Jorge Arturo Céspedes, de 15 años, dice que la Virgen se le presentó en repetidas oportunidades. El lugar de las supuestas apariciones se localiza en una inhóspita zona en la frontera con Nicaragua. El hecho se repite el primer día de cada mes y los martes a las dos de la tarde. «Al principio dudé y por eso le pedí señales, fue entonces cuando hizo sanaciones, conversiones y movimientos en el sol», declaró el joven.
- **Visiones en Bolivia:** Cecilia López, oriunda de la ciudad boliviana de Cochabamba, afirma haber tenido una visión sobrenatural y de ser portadora de un mensaje de la Virgen María. Las presuntas revelaciones, producidas en octubre de 1992, conmocionan a la población católica de Quillacollo, a unos 12 kilómetros al oeste de Cochabamba, que empieza a acudir a la casa de la joven, quien habría recibido poder de curación otorgado por la aparición.

- **La Virgen del Rosario en Badajoz:** en los años cincuenta, según escribió el religioso Antonio Corredor, en un pueblecito de la provincia de Badajoz llamado La Codosera, en la frontera con Portugal, se produjeron unas curiosas apariciones de un ser misterioso que fue identificado por los videntes como la Virgen del Rosario. Con el tiempo se ha levantado un impresionante santuario en el lugar de las apariciones llamado Chandávila.
- **La Virgen del balcón:** en Santo Domingo, 29 de abril de 1993, ocurrió un suceso muy llamativo. La Virgen, según testigos, aparece en el balcón de una casa con un niño en brazos. La policía debe intervenir para contener a los cientos de curiosos que intentaban ver la figura, que algunos escépticos dicen que se trata de un maniquí de una tienda que funciona en la primera planta de la residencia. El hecho, sin embargo, causa mayor impacto porque los días jueves y viernes Santo de ese año, se producen cuatro temblores de tierra mientras la gente elevaba sus oraciones al cielo.
- **Manifestación en Argentina:** el 9 de junio de 1994, un niño descubre un extraño fenómeno desde el patio de la iglesia, al retirarse de una clase de catequesis: dos Vírgenes de unos sesenta centímetros parecen estar pintadas en las tejas de chapa. Se trata de la cúpula de la iglesia de San Francisco, de la capital de la norteña provincia de La Rioja, en Argentina. Como era el día de la Virgen de Fátima, suponen que se trata de una aparición de ella.
- **La Virgen recorta el sol:** la llamada Virgen del Amor se aparece el 29 de febrero de 1996, en Costa Rica. De acuerdo con los relatos, se hace presente en el cielo recortando el sol; se ve encima de una forma de rayos brillantes que parecen danzar. Según los médicos, la situación es seria. La gente cae en trance y queda absorta mirando el sol, lo que hace que su retina sufra quemaduras. Sin embargo, las excursiones llegan al sitio todos los fines de semana para esperar la aparición de la señora del sol, y miles de personas aseguran ver la aparición.
- **Treinta años apareciendo:** el caso de las Apariciones de Nuestra Señora de América es especial, porque ha durado más de treinta años. La primera vez, se apareció a una monja de la orden de la Preciosa Sangre, en Ohio, el 25 de septiembre de 1956. Parece ser que ese día, por primera vez, una monja (de la que no se conoce el nombre) tuvo locuciones y recibió mensajes de una presencia luminosa, que identificó con la Virgen. La aparición se presentó durante un periodo largísimo: en la déca-

da de 1980 seguía haciéndolo regularmente. La descripción es la de una Virgen con su corazón circundado de rosas rojas que despiden llamas de fuego. Los mensajes exaltan un cambio en el estilo de vida de las personas, poniendo cierto énfasis en la humildad en el corazón y la actitud.

- **También en Nueva York:** ocurrió en Bayside, Nueva York, el 7 de abril de 1970. Verónica Leuhen la vio en el terreno de una antigua iglesia del lugar, y, posteriormente, en el Vatican Pavilion Site, en Flushing Meadow Park. En esos lugares, Verónica, sólo ella, recibió incontables mensajes de la Virgen que se le aparecía. Un rasgo particular de los acontecimientos de Bayside son las fotografías en *polaroid* tomadas con cámaras bendecidas, de una imagen de la Virgen en talla de bulto, propiedad de Verónica, rodeada de una bola de luz. Verónica dio este relato: «Después de la primera aparición, reapareció a las cuatro y permaneció allí hasta las cinco, la hora de amanecer. La escena era sobrecogedora y magnífica. La aparición caminó hacia el oeste, moviendo a veces sus manos como para bendecirnos, y a veces inclinaba el cuerpo repetidamente. Un halo de luz rodeaba su cabeza. Vi seres luminosos alrededor de la aparición. Parecían como estrellas, más bien de color azul».

20

Cuerpos incorruptos: ¿milagro o casualidad?

En diferentes monasterios se han encontrado cuerpos de santos que fallecieron hace siglos y que continúan intactos. ¿Son cuerpos tocados por la mano de Dios? ¿Existe alguna causa científica que justifique ese estado que no experimenta el resto de los cadáveres?

El misterio de los santos

Cuando empezaron a encontrarse los primeros cuerpos incorruptos, nadie podía creer el fenómeno. Habían pasado siglos y aquellos cadáveres parecían simplemente dormidos. La Iglesia católica dio una rápida explicación: «demostraban el amor de Dios a sus hijos predilectos». En la Biblia, cuando Dios expulsa a Adán del paraíso le dice: «Con el sudor de tu rostro comerás el pan, hasta que vuelvas a la tierra, pues de ella has sido tomado, ya que polvo eres, al polvo volverás», pero estos santos, por sus buenas acciones, podrían haber sido perdonados del pecado original.

Esto explicaría el caso de los santos, pero resultó que no eran los únicos. Con el tiempo se empezó a tener noticias de cadáveres de tribus que también habían aparecido sin rastro de corrupción física. La Iglesia dijo que seguramente se trataría de hombres o mujeres muy

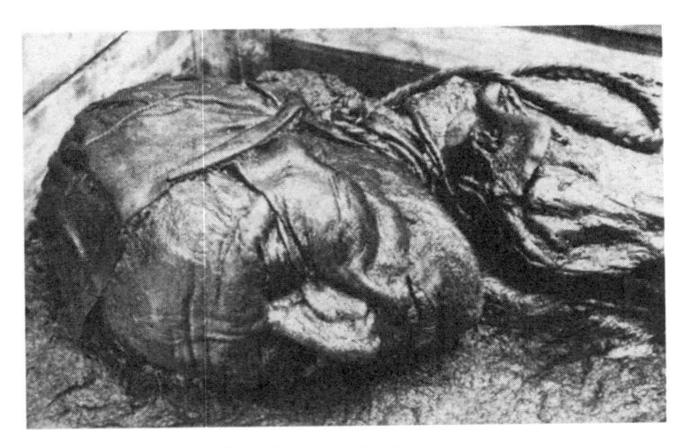

El hombre de Tollund, uno de los cuerpos incorruptos más famosos de la historia.

piadosos que, aún estando fuera del catolicismo, merecían a los ojos de Dios ese honor.

Sin embargo, esta explicación, como era de suponer, nunca satisfizo a los científicos. Debía haber otra razón más física que justificara aquel fenómeno. Pero ¿cuál? ¿Por qué unos cuerpos se descomponían mientras otros se mantenían como el día de su entierro? Lo más sorprendentes es que tanto podía ocurrir en ambientes secos como terriblemente húmedos. Esto desconcertó en un primer momento a los científicos. Pero finalmente encontraron que había dos causas: la sequedad y la humedad.

La sequedad: ¿clave del misterio?

Un ambiente seco genera una momificación natural. La piel se deseca de forma espontánea, impidiendo así la descomposición total o parcial del fallecido. El ambiente más propicio para que se dé este fenómeno son las criptas. Se ha de tener en cuenta que habitualmente morían de agónicas enfermedades, que les hacían adelgazar. Por tanto, apenas había grasa en estos delgados cuerpos. De esta forma, las bacterias responsables de la putrefacción apenas podían alimentarse y morían. Así, el cuerpo se deseca y se conserva incorrupto un tiempo indefinido.

Esto es lo que ocurrió, por ejemplo, con las criptas del Convento de los Capuchinos de Palermo, donde hay unas 850 momias perfectamente conservadas. En España también hay múltiples monasterios en los que se han dado estas condiciones.

El poder de la humedad

Aunque parezca contradictorio, la humedad también puede propiciar un fenómeno similar al de la sequedad. Las circunstancias en las que esto pasa son, en cambio, completamente diferentes. En este caso se produce el fenómeno llamado adipocira (la palabra proviene de grasa o cera).

La hidrólisis de las grasas provoca que los tejidos se transformen en jabones. Es un proceso que se conoce como saponificación. La siguiente fase recibe el nombre de plástica. Las partes blandas del cuerpo del difunto o difunta se convierten en un material semejante a la cera o a la plastilina. Las estructuras microscópicas van desapareciendo, pero el aspecto exterior queda intacto.

En algunos casos, la naturaleza va más allá, y la piel se convierte en una especie de verdadera cera. Los casos que llegan a este punto son sin duda los más espectaculares, pues se pueden llegar a distinguir incluso las cicatrices que tuvo el difunto.

Este fenómeno es el que hizo pensar en que sólo podía haber una mano divina detrás de una conservación tan extraña y perfecta a la vez. Pero esta técnica no sólo se ha dado en los monasterios cristianos.

Esta teoría empezó a hacer aguas cuando se encontraron cuerpos en idéntico estado en Japón y Hawai. Pertenecían a soldados norteamericanos muertos. ¿Era posible que fueran tan píos como para merecer ese honor? ¿Y no resultaba casual que todos los elegidos pertenecieran al mismo batallón? A partir de estas lógicas preguntas se inició la investigación.

Otras técnicas de conservación naturales

Las más habituales son las dos anteriormente descritas, pero también existen algunas más que se dan en casos muy específicos. La corificación, por ejemplo, consiste en la trasformación de la piel en una especie de cuero de gran dureza.

Los cuerpos depositados en cuevas con infiltraciones de agua y sales reciben ingentes dosis de hidroxiapatita y carbonato cálcico.

Algunos santos incorruptos

Fray Pío de Jesús Crucificado elaboró una lista de los santos más conocidos cuyos cuerpos habían permanecido incorruptos. He aquí los más famosos que en muchos casos fueron expuestos para que los fieles pudieran apreciar el milagro: beato Alessio de Riccione, beato Aloysius Stepinac, beata Ana María Taigi, Ángela Merici, san Aprio, santa Aurelia, san Anselmo de Biaggio, beato Ángelo de Acri, san Bernardino de Siena, Bernardita Soubirous, santa Clara de Asís, santa Catalina de Siena, san Francisco Xavier, santa Inés Mártir... por citar algunos.

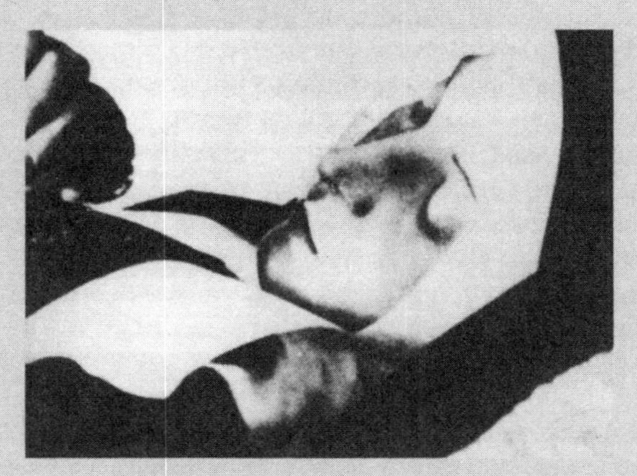

Santa Bernardette de Lourdes muestra esta imagen de incorruptibilidad desde que falleció en 1879.

Esto provoca que se petrifiquen. Las partes blandas del cuerpo se vuelven duras como una roca. Es un fenómeno ciertamente extraño, pero hay algunas pruebas de que puede darse.

Por tanto, en este caso podemos concluir que existen causas naturales que justifican el supuesto milagro. Son curiosas y no suelen darse en todos los casos, pero existen.

21

Estigmas: ¿las marcas de la fe?

Heridas en el costado, en las manos, en los pies... Las mismas que sufrió Jesucristo, pero en los cuerpos de sus seguidores. Aparecen de repente y no responden a los tratamientos médicos habituales. No las ha ocasionado ninguna herida. Pero están ahí: ¿una muestra de fe o de locura? Nadie lo sabe, aunque algunos aventuran algunas teorías. La Iglesia ha canonizado a 70 santos que tenían estas marcas, y en el mundo se cuentan aproximadamente unos 350 reconocidos por el catolicismo.

El primer estigmatizado conocido fue san Francisco de Asís, pero a partir de ese momento muchos se han sumado a la lista. Según la Iglesia, habitualmente se trata de personas que han padecido grandes dolores físicos y morales, por lo que sus sufrimientos los han acercado a Jesús crucificado. Se cree que si no han padecido antes no se les puede reconocer como auténticos estigmatizados. Es una gracia divina de la que pocos son merecedores.

Ante los estigmas, no todo vale

El padre Adolphe Tanquerey definió una serie de requisitos que se deben dar para que se considere que se trata de verdaderos estigmas.

Deben estar localizados en los lugares en que Jesús los padeció. Los cinco más típicos son las dos manos, los dos pies y el costado.

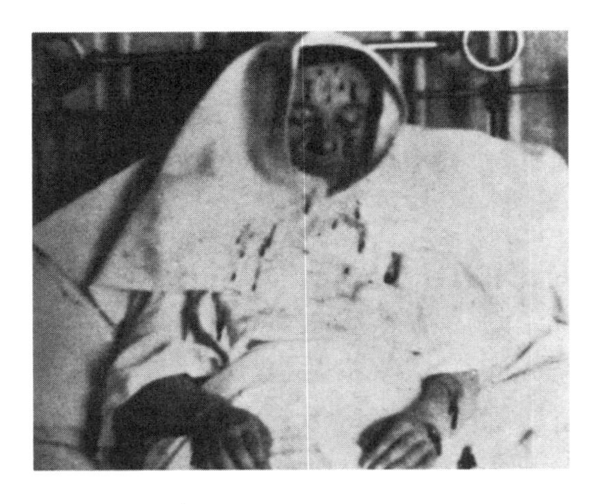

Teresa Newman, una de las estigmatizadas más famosas que padeció los efectos de la Pasión de Cristo durante varios años.

Hay casos en los que aparecen heridas en la frente, por la corona de espinas, y señales en el hombro, por acarrear la cruz. Pueden surgir también señales en la espalda por los latigazos.

Generalmente, suelen aparecer en Semana Santa o en alguna época en la que se hable especialmente de la Pasión de Jesucristo.

Este tipo de llagas sangran de forma limpia y nunca supuran. La sangre es abundante, aunque las llagas no están cerca de arterias importantes. No remiten nunca con los tratamientos médicos habituales y pueden durar años u horas.

Se cree que sólo aparecen en personas de gran moral que rinden culto a la cruz.

El caso más famoso y paradigmático es el del Padre Pío de Pietrelcina. El doctor Nicola Silvestri, que le atendió, explicó: «Desde el punto de vista médico, los estigmas no pueden considerarse como heridas o llagas, pues no tienden a cicatrizar ni siquiera cuando son curadas. No sufren procesos de infección ni de descomposición, no degeneran en necrosis, no emiten mal olor, sangran y permanecen estacionarias e inalteradas durante años, contra toda ley de la naturaleza».

La Iglesia no siempre se lo cree

La Iglesia estudia concienzudamente cualquier caso antes de diagnosticar *stigmata.* Debe seguir todos los requisitos antes descritos. La razón es obvia: ha habido muchísimos fraudes. Numerosas personas se han autolesionado para lucir los estigmas de Cristo. Algunas buscaban popularidad, otras simplemente presentaban graves dese-

Famosos estigmatizados

- **San Francisco de Asís:** fue el primero de una larga lista y sin duda el más famoso. Sus heridas empezaron en 1224 y le acompañaron hasta su muerte en 1226. Las llagas se localizaron en las manos, los pies y el costado.
- **Santo Padre Pío de Pietrelcina:** su suplicio empezó en 1918 y duró más de medio siglo. Se convirtió en el símbolo de los estigmatizados. Al principio fue la propia Iglesia Católica la que no daba crédito a lo que estaba ocurriéndole, pero con el tiempo le creyeron. Recibía visitas de todas partes del mundo.

- **Santa Catalina de Siena:** se trata de uno de los casos más célebres seguramente por su espectacularidad. Ocurrió en 1375 y se dice que de los estigmas salía una luz brillante. La santa entró en ese estado después de la comunión, cuando alcanzó un éxtasis místico en el que vio a Jesús.
- **Santa Gema Galgani:** la víspera del día del Sagrado Corazón, santa Gema entró en éxtasis. Cuando recuperó la conciencia llevaba los signos de Jesucristo. Le causaban gran dolor y tuvo que soportarlos cada jueves durante cuatro años.
- **Santa Verónica Giuliani:** además de sufrir por las heridas de Cristo, tuvo que soportar las burlas de sus compañeras, que nunca creyeron que lo que le ocurría pudiera ser posible.

quilibrios psíquicos. Por ello, tanto los médicos como la Iglesia revisan concienzudamente cualquier caso para que no haya posibilidad de engaño. Para la Iglesia Católica, los estigmas son un milagro, que demuestra, por tanto, la existencia de Dios. Es normal que no quiera que se mezclen con bulos que desacrediten el fenómeno milagroso.

Por otra parte, se ha de tener en cuenta que la Iglesia también cree que algunos casos no están producidos por Dios sino por el Diablo. Por ello, se investiga a la persona, su fe, el sufrimiento que ha padecido. En algunos se concluye que no es el Altísimo sino el señor de los avernos el encargado de confundir con esas señales que emulan el martirio de Jesucristo. De todas formas, apenas se habla de estos casos diabólicos, que se intentan silenciar.

La ciencia no puede negar el fenómeno

Lo cierto es que los médicos han ratificado que este fenómeno no sigue ninguna ley física conocida. Según Silvestri: «Son múltiples las teorías propuestas por escuelas diversas que intentan negar el carácter sobrenatural de los estigmas. Ninguna de estas hipótesis, sin embargo, resiste la crítica objetiva y rigurosamente científica. Ni la medicina ni la psicología, y ni siquiera los positivistas intransigentes han podido negar la realidad del fenómeno».

Sin embargo, los detractores de los estigmas plantean dudas interesantes. Se ha de tener en cuenta que antes de San Francisco, Jesús se representaba siempre en vida, con una túnica blanca en la mayoría de las ocasiones. En cambio, a partir del siglo XIII se inició la iconografía cristiana en la que se presentaba al Mesías en la cruz o sufriendo martirios de todo tipo. Justo a partir de ese momento empezaron a darse casos de personas con estigmas. ¿Casualidad? Tal vez, pero hay otras igualmente sospechosas.

La iconografía cristiana representa siempre a Jesucristo clavado por las manos y los pies. Sin embargo, diferentes estudios posteriores demostraron que esto no era posible. El martirio de la crucifixión consistía en clavarlo por las muñecas y por los tobillos. Si los que padecen estigmas sufren el mismo dolor que Jesucristo, ¿por qué sus heridas siguen las imágenes y no el verdadero martirio que sufrió el Salvador? Lo más sorprendente de todo es que después de que se revelaran estos datos, ha empezado a haber casos en los que las heridas están en el lugar exacto que indican los estudiosos del tema.

Estigmas fruto del estrés

Según explican algunas de las teorías psicológicas, una persona que padece mucho estrés está en una situación que lo hace especialmente sugestionable para padecer estigmas, especialmente si son creyentes o religiosos. Los especialistas creen que este tipo de personalidades son mucho más proclives a dejarse sugestionar y también a caer en estados autohipnóticos, y aquí entra en juego otro dato importante. Se ha comprobado que durante la hipnosis, muchas personas pueden llegar a presentar heridas. El caso más célebre es el de una mujer que haciendo una regresión descubrió que había muerto ahorcada. En aquel momento, apareció la herida de la cuerda en su cuello. Esto demuestra que, una vez más, el poder de la mente es muy superior a lo que normalmente pensamos. Esto podría aplicarse a los estigmatizados.

22

La milagrosa sangre de San Genaro

Dos veces al año los napolitanos se reúnen para observar la reliquia más preciada de la ciudad: la sangre de su patrón, san Genaro. Esperan el milagro que suele suceder siempre: que su sangre se torne líquida. Según la tradición, si esto no ocurre, será un mal año para Nápoles, para Italia y para el mundo. ¿Es posible que año tras año ocurra un milagro? ¿Puede haber alguna razón menos divina que justifique lo que acontece en Nápoles?

La sangre es un buen augurio

Los napolitanos esperan el milagro que augure buenos tiempos. En este punto, se ha de decir que la Iglesia Católica no está de acuerdo en esta superstición, pero la mayoría de los napolitanos sí. La prueba que esgrimen sus defensores es que san Genaro nunca se equivoca. Si su sangre no se licua, algo terrible planea en el destino. Es cierto que los desastres se han producido al menos en cinco ocasiones en las que la sangre no se volvió líquida. En 1980, por ejemplo, se produjo un terrible terremoto en el que murieron más de 3.000 personas. De todos modos, los hechos adversos no siempre parecen demasiado comprobados. Por ejemplo, en 1987 no se produjo el milagro. Cuando se eligió un intendente comunista, muchos napolitanos creyeron cierto el mal augurio.

El patrón de Nápoles

San Genaro era el arzobispo de Bevento. En 305, Dioclesiano lo condenó a muerte. La primera sentencia suponía que debía ser devorado por animales salvajes, pero san Genaro no murió, así que decidieron decapitarlo. Se cree que una mujer recogió parte de la sangre y en el año 315 se la dio al obispo de Nápoles. En las crónicas de Parténope se habla de algunos milagros relacionados con san Genaro, pero en ningún momento se menciona nada de la sangre.

En 1337 se empezó a venerar en Nápoles. En 1389 se tiene constancia de que la sangre se licua por primera vez. Y a partir de aquí empieza el mito. San Genaro es uno de los santos más queridos en Italia y sus festividades se celebran en todas las comunidades italianas del mundo.

Sin embargo, recientemente, la sangre se licuó y ello no libró a los napolitanos del desastre. Aquel año hubo unas terribles inundaciones que no fueron anunciadas por el santo.

Las celebraciones en honor de este santo se instituyeron en 1337. La primera noticia del milagro data de un diario anónimo, fechado en 1389. En él se lee: «Hubo una gran procesión para celebrar el milagro realizado por Nuestro Divino Señor con la sangre de san Genaro. La sangre, que está guardada en una ampolla, se volvió líquida tal como si estuviera en el cuerpo vivo de Genaro aquel mismo día».

Sangre convertida en reliquia

La leyenda cuenta que una mujer recogió la sangre del santo. Ésta, en la actualidad, está guardada en dos ampollas en una caja sellada en la bóveda de la iglesia Capilla del Tesoro de Nápoles. En un recipiente tan sólo se conservan unas gotas, mientras que el otro está casi lleno. Tres veces al año, la sangre es expuesta para la veneración, que es cuando acontece el supuesto milagro. Las fechas son el sábado que precede al primer domingo de mayo (en la que se celebra el traslado del santo), el 19 de septiembre (que recuerda su martirio) y el 16 de diciembre (el día del patrón de la ciudad). En las tres ocasiones los seguidores rezan para que el milagro se produzca. En mayo, la sangre se transporta desde el Duomo a la iglesia de Santa Chiara, y es allí donde la sangre se licua. En septiembre el milagro acontece en el Duomo, tras exponer durante una semana las ampollas, que son besadas por los seguidores. En diciembre, la bóveda se abre. Si la sangre está líquida, se expone.

Los napolitanos están convencidos de que es indudablemente un milagro, pero, como en todos los hechos que desafían a las leyes de la naturaleza, también hay otras explicaciones. Algunas son ciertamente disparatadas, mientras que otras tienen una base científica.

Explicación extraterrestre

Es, seguramente, una de las más hilarantes y con menos bases argumentales, pero se ha difundido ampliamente en los foros de Internet. Según explican sus defensores, los extraterrestres están detrás de todos los supuestos milagros. Su intención es que la población crea, pues así resulta mucho más fácil someterla a sus designios. ¿Cuáles son? ¿Por qué llevan tantos siglos haciéndolo sin pasar a la acción? Son preguntas lógicas que esta teoría soslaya.

En este sentido existe otra teoría igualmente carente de credibilidad. Muchos piensan que san Genaro fue un extraterrestre y que su sangre, aunque parezca humana, tiene propiedades que sólo pueden venir de otra forma de vida.

¿Es todo cuestión de poder mental?

Los esotéricos y parapsicólogos consideran que detrás del milagro está el poder de la mente. Millares de personas reunidas en un lugar, esperando que ocurra un hecho, serían capaces, según estas hipótesis, de hacer realidad su sueño. La energía mental que desprenden y la fe que procesan convertirían el deseo en realidad.

Esta teoría presenta también varios agujeros. Es cierto que en la actualidad, cuando se reúnen los fieles, piden que la sangre se licue. Pero, ¿cómo puede justificarse que hace siglos deseasen algo tan pintoresco?, y aun en el caso de que la repetición del supuesto milagro se debiera al poder mental de los seguidores, ¿por qué este fenómeno no ocurre más habitualmente? ¿Por qué, por ejemplo, cuando se organizan manifestaciones en todo el planeta para que no haya una guerra ésta no se puede evitar? Si la clave estuviera en la fe, seguramente en Semana Santa, cuando muchos fieles están completamente entregados a sus creencias, tendrían que acontecer fenómenos difícilmente explicables.

La hipótesis del fraude

Algunos están convencidos de que se trata de un invento de la Iglesia Católica, un montaje para sus fieles. Esto parece como mínimo difícil de creer. La Iglesia Católica actual es muy recelosa a la hora de reconocer milagros. Además de ser fieles a su fe, saben que cualquier engaño que se toma por milagro hace que pierda credibilidad y decepciona a sus seguidores. Además, ¿cómo podría hacerse? ¿Cuánta gente tendría que estar implicada en el acto que se celebra tres veces al año?

La ciencia dice...

En 1991 tres reputados científicos de diferentes universidades italianas iniciaron una investigación para encontrar una explicación científica al fenómeno. Luigi Carlaschelli, Franco Ramaccini y Sergio Della Sala publicaron un artículo en la revista Nature en la que explicaban que la agitación puede producir que ciertos líquidos se solidifiquen. Es una propiedad poco conocida llamada tixotropía. Para que esto ocurriera, la sangre debería llevar algún tipo de sustancia. Podría ocurrir con muchas, desde el cacao hasta el cloruro férrico. La misteriosa sustancia pudo ser añadida hace muchos siglos, cuando el milagro empezó a deslumbrar a los seguidores de san Genaro. La razón pudo ser la casualidad o tal vez un clara intención de engaño. Seguramente, la Iglesia Católica desconoce en la actualidad lo que ocurrió en aquel entonces. Se aventuran muchas teorías, y ya que no existían químicos por aquella época, es probable que fuera obra de un alquimista. Lo que hasta el momento parecía que estaba comprobado científicamente es que la reliquia era sangre auténtica, por lo que se argumenta que en análisis se debió encontrar esta sustancia. Los defensores de esta teoría dudan que el análisis fuera correcto. Para empezar, nunca se publicó en una revista científica. Además, para realizarlo se empleó un espectrómetro de prisma, en vez de utilizar uno electrónico. Por último, la presencia de hierro se interpretó como un componente de la hemoglobina cuando no tenía por qué ser así. El misterio se resolvería si la Iglesia Católica autorizara que se realicen análisis, pero por el momento no parece dispuesta a ello.

El san Genaro español

No tiene tanta fama, pero es tan milagroso como san Genaro. Se trata de san Pantaleón, otro mártir que murió por su fe y cuya sangre también se licua cuando se acerca la fecha de su onomástica.

Una porción de sangre de san Genaro se custodia en el altar mayor del Real Monasterio de la Encarnación de Madrid. Quince religiosas agustinas recoletas entregadas a la oración son las encargadas de cuidar de la reliquia desde 1616. La víspera de su martirio, cada 26 de julio, su sangre se hace líquida ante los cientos de visitantes que quieren observar el mágico suceso. Igual que ocurre con san Genaro, cuando no se licua la sangre, se avecinan malos tiempos. Así ocurrió durante las dos guerras mundiales. La Iglesia no se ha pronunciado sobre el milagro y guarda silencio. Mientras, las monjas han instalado unos monitores que aumentan hasta 10 veces la imagen de la cápsula que contiene la sangre del santo.

23

Así se manifiesta el demonio

El demonio es el más antiguo de los espíritus que han acompañado al hombre en su historia. Más antiguo que el hombre mismo quizá, puesto que todas las religiones son unánimes en precisar que el diablo existía ya antes de que el hombre fuera creado. ¿Es cierto que existe? ¿Es sólo una antigua creencia que ha perdurado hasta hoy, pero que no tiene ninguna base real de existencia?

Para la mayoría de los pueblos primitivos, los demonios constituían la personificación total o parcial del principio del Mal frente a los hombres. Eso sí, en aquellos tiempos eran considerados eternos y omnipotentes, y los hombres no podían hacer nada por vencerlos: estaban a su merced, y lo único que les cabía hacer era mantenerlos contentos y estar siempre congraciados con ellos.

Con el judaísmo y más tarde con el cristianismo (de donde surgirá la palabra diablo), los demonios pierden categoría: dejan de ser omnipotentes, aunque sigan siendo eternos. Se hallan supeditados a la voluntad de Dios y, en cierto modo, son también esclavos de los hombres... aunque luego tengan derecho a pedir su recompensa. El diablo, entonces, es una institución enteramente cristiana. El cristianismo es el que le dará todas sus formas y su constitución, le dotará de sus atributos, y creará toda una ciencia a su alrededor: la demonología.

Los adoradores del diablo

Miles, incluso millones de seres humanos, a través de muchos siglos de historia, han adorado al diablo y le han dedicado lo mejor de sus vidas. La Iglesia católica ha llegado a temblar ante el poder de su imagen, y lo ha rechazado por la fuerza ya que no podía por las palabras. Aún hoy en día, en nuestro «civilizado» mundo del siglo XXI, se sigue creyendo en él, se le sigue temiendo... y se le sigue también adorando.

Hay dos grandes grupos de demonistas. Por un lado, los que adoran a Satanás como principio del mal y buscan a través de sus ritos y costumbres captar su beneplácito y con él el poder de actuar sobre la naturaleza. Su «espiritualidad» aspira a ganar el beneplácito de Satanás para recibir sus poderes o evitar sus ataques. Luego están los que sostienen que en realidad el diablo es el verdadero Dios, y que el Dios de los cristianos es el principio de la mentira.

¿Existe el diablo?

Es difícil dar una respuesta contundente a esta pregunta. De hecho, sigue siendo un misterio por develar, pero podemos preguntarnos qué indicios, fuera de cualquier religión, podrían argüirse a favor de la existencia del demonio. En este caso podríamos señalar algunos aspectos interesantes.

Para empezar, debemos reconocer que el hombre conoce un rango muy precario de la realidad. Los avances de la ciencia contemporánea no sólo han aumentado el tamaño de nuestro conocimiento, sino que –paradójicamente– también han desvelado el tamaño de nuestra ignorancia. Así pues, ¿cómo descartar ciertas ideas basándose solamente en lo poco que conoce el hombre hoy? Por otra parte, quizá es ingenuo pensar que algo no existe porque no se lo ve. Eso es como negar que los microbios existen porque a simple vista no los vemos, o negar que hay radiaciones infrarrojas sólo por que no las captamos. La ciencia moderna nos ha permitido descubrir que la realidad es mucho más de lo que perciben nuestros sentidos, que existen «seres invisibles» y «hechos invisibles» para nuestro limitado campo de percepción.

Por último, muchos apuntan que el mal que produce el hombre no es equivalente a todo el mal del Universo. El mal que ocurre en el Universo desborda el mal que ocasiona el hombre. ¿Puede haber tragedias atribuibles a una fuerza de maldad superior?

Sin embargo, son muchos los que no creen en la existencia del diablo. Incluso dentro del cristianismo, hay un grupo de teólogos y escritores escépticos, para los cuales el diablo es sólo una metáfora del mal, pero no una persona. De hecho, aseguran que la creencia en el diablo es moralmente nociva, en tanto le quita responsabilidad al hombre en el mal, y en tanto que todo el mal en el mundo sí es completamente explicable en términos del pecado humano.

Frente al grupo escéptico, se erige un grupo de cristianos creyentes en la existencia de Satanás (por ejemplo el teólogo Ratzinger, actualmente el papa Benedicto XVI), para los cuales los escépticos son cristianos que se han dejado contagiar de algunos supuestos discutibles de la Modernidad.

La acción del diablo

Más allá de que haya quienes no creen en la existencia del diablo, lo cierto es que su presencia parece hacerse sentir muy a menudo entre los mortales. Encontramos una enorme cantidad de casos documentados en los que el diablo parece haber «metido la cola».

Los trastornos que pueden causar los demonios en los hombres son de varios tipos. En general, la Iglesia asegura que hay una acción típica del demonio, que está orientada a todos los hombres: la de tentarlos para el mal, pero no nos ocuparemos ahora de esta nefasta acción diabólica, no porque no sea importante, sino porque nuestro objetivo es ilustrar la acción extraordinaria del demonio.

Una de las vías de acción más comunes del demonio es causar enormes sufrimientos físicos. Se trata de esos fenómenos que acostumbramos a leer en tantas vidas de santos. De esta forma, sabemos cómo san Pablo de la Cruz, el santo cura de Ars, el padre Pío y tantos otros fueron brutalmente golpeados, flagelados y apaleados por demonios a lo largo de la historia.

¿Eran satanistas? Los buscadores de cadáveres

En 2004 la policía detuvo en Valladolid a una persona que presuntamente profanaba tumbas en el cementerio vallisoletano de El Carmen Extramuros. El hecho no era aislado, hacía tiempo que las fuerzas de seguridad habían sido alertadas sobre profanaciones de tumbas y nichos; además, en distintos lugares de la ciudad estaban apareciendo restos de cráneos y huesos. Las investigaciones, todavía abiertas, se centran en la posibilidad de que una secta satánica recurra a los elementos mortuorios para llevar a cabo sus prácticas de adoración al demonio, ya que a todo ello debemos añadirle que han sido varios los cementerios profanados en la provincia.

Los monstruos demoníacos del padre Pío

El caso del padre Pío (1887-1968) es realmente estremecedor. Cuentan que repetidas veces, al entrar en su celda, Pío encontraba sus cosas en desorden, las mantas de su lecho y sus libros desparramados, y la pared llena de manchas de tintas. Espíritus extraños se le aparecían bajo distintos aspectos, a menudo vestidos de frailes. Una noche se dio cuenta de que su cama estaba rodeada de monstruos horribles que lo recibieron con estas palabras: «¡Mirad, el santo va a acostarse!». La respuesta de Pío no se hizo esperar: «Sí, con vuestro desprecio», les dijo. Entonces los monstruos lo empujaron, lo zarandearon, lo arrojaron al suelo y contra las paredes, como tantas veces lo hicieron al Cura de Ars, San Juan Bautista Vianney.

El extraño monje sulfuroso

Cierta noche, el padre Pío vio entrar en su celda a un monje que le recordó por su aspecto a fray Agustín, su antiguo confesor. El falso monje le dio consejos y lo exhortó a dejar esa vida de ascetismo y de penosas privaciones, afirmando que Dios no podía aprobar tal sistema de vida. Pío, estupefacto de que el padre Agustín le dijera tales cosas, le ordenó que gritase junto con él: «¡Viva Jesús!». El extraño personaje desapareció de inmediato, dejando tras de sí un olor pestilente, sulfuroso.

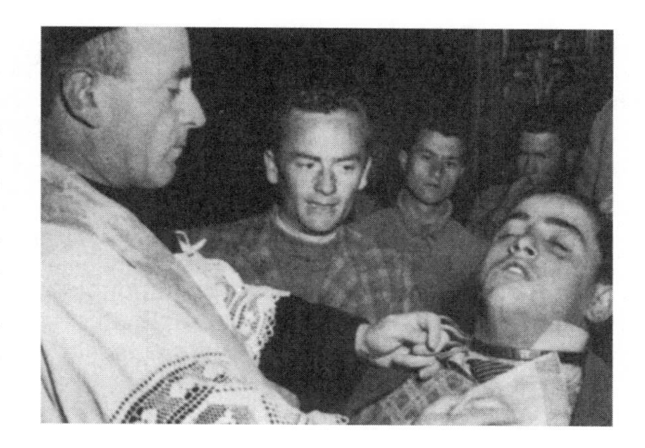

Detalle de una ceremonia de exorcismo celebrada en la iglesia de San Viccino. Al poseso se le pone un collar que llevó el santo mientras hacía penitencia.

Otra de las formas en que actúa el demonio es a través de la sujeción diabólica, llamada también dependencia diabólica. Se incurre en este mal cuando nos sometemos deliberadamente a la servidumbre del demonio. Las dos formas más usadas son el pacto de sangre con el diablo y la consagración a Satanás.

También encontramos la vejación diabólica, o sea, trastornos y enfermedades desde muy graves hasta poco graves pero que no llegan a la posesión, aunque sí a hacer perder el conocimiento, a hacer cometer acciones o pronunciar palabras de las que no se es responsable. En la Biblia se encuentran algunos ejemplos, como el de Job, que no sufría una posesión diabólica, pero fue gravemente atacado a través de sus hijos, sus bienes y su salud. San Pablo, desde luego, no estaba endemoniado, pero sufría una vejación diabólica consistente en un trastorno maléfico. En (2 Cor. 12, 7), dice: «Para que yo no me engría por haber recibido revelaciones tan maravillosas, se me ha dado un sufrimiento, una especie de espina en la carne (se trataba evidentemente de un mal físico), un emisario de Satanás, que me abofetea».

Cuando Satán nos posee

Es el tormento más grave y tiene efecto cuando el demonio se apodera de un cuerpo (no de un alma) y lo hace actuar o hablar como él quiere, sin que la víctima pueda resistirse y, por tanto, sin que sea moralmente responsable por ello. Esta forma es también la que más se presta a fenómenos espectaculares, del género de los puestos en escena por la película *El exorcista* o del tipo de los signos más vistosos indicados por el ritual del exorcismo: hablar lenguas nuevas, demostrar una fuerza excepcional, revelar cosas ocultas. En casi todas las sociedades humanas se ha sostenido la creencia en la «posesión» de seres humanos por parte de espíritus de carácter maligno. Los exorcistas han sido tradicionalmente los únicos capaces de expulsar a estos espíritus.

Es significativo que casi todos los pueblos hayan creído en la existencia de seres superiores malignos que podían adueñarse de ciertos lugares, o incluso de personas, para causar trastornos a la humanidad. Tenemos abundantes testimonios de este fenómeno, que se caracteriza por manifestaciones horripilantes: voces huecas que parecen surgir del cuerpo del «poseso», muebles que se desplazan, contorsiones inverosímiles...

La inspiración del exorcista

La historia de Robbie Mannheim es un caso típico de posesión, y es la que dio vida a la película *El Exorcista.* Cuentan que todo empezó con el ruido de un suave goteo en casa de los Mannheim, en Mount Rainier (estado de Washington). Allí vivían Robbie, que era un chico de 13 años, con su abuela materna, su madre y su padre. El persistente sonido se inició un sábado por la noche. El niño y su abuela se hallaban solos y realizaron una gira por las habitaciones buscando el origen del ruido. Al entrar en el dormitorio de la anciana, vieron que un cuadro en el que se representaba a Jesús estaba torcido y se movía como si alguien golpeara la pared tras él. El goteo cesó para dar paso al chirrido de unos arañazos tras la pared, «como si una garra rascara la madera». Los arañazos continuaron oyéndose durante once días, hasta el día en que murió Harriet, una tía espiritista de Robbie, que había enseñado al muchacho a manejar el tablero ouija.

Robbie pasaba horas enteras jugando con la ouija, intentando entrar en contacto con su querida tía difunta. Fuera ésta o no la causa de la posesión, el hecho es que los fenómenos paranormales comenzaron a producirse a su alrededor sin interrupción. Al irse a dormir oía pasos junto a su cama y, durante el día, objetos y muebles pesados se deslizaban por el aire o se volcaban solos. Sus parientes podían ver girar vertiginosamente las sillas en que Robbie se sentaba. El terror aumentó cuando el chico adoptó una actitud demoníaca: blasfemaba y se cubría de cortes todo el cuerpo.

Un médico y un psiquiatra que vieron a Robbie, encontraron que estaba sano física y mentalmente. Los padres comprendieron que su hijo estaba poseído por el demonio. El sacerdote que intentó exorci-

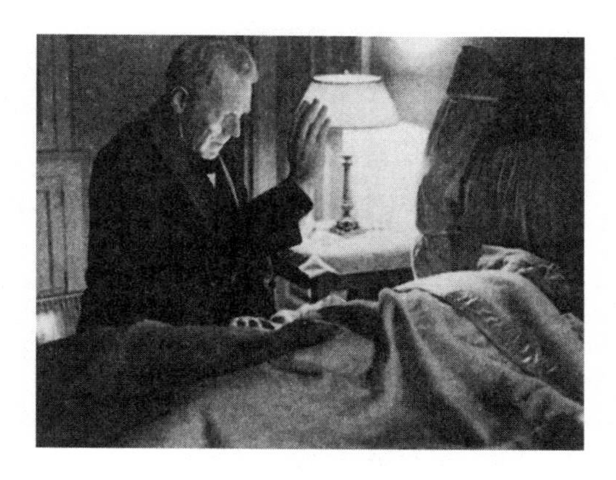

Fotograma de la película *El exorcista.*

zar al chico entonó las palabras «líbranos del diablo», y en ese momento el muchacho liberó una de las manos de sus ataduras y empezó a golpear al sacerdote con un muelle que había arrancado de la cama. Le hirió en todo el cuerpo.

Estos acontecimientos inspiraron a William Peter Blatty para su novela *El exorcista.* Éste incluso llegó a investigar el caso, y supo que un grupo de jesuitas estuvo rezando y rociando con agua bendita, durante un mes, tanto la casa del muchacho, como el hospital donde fue internado. La posesión se manifestaba por la noche y duraba hasta el alba: el chico se retorcía salvajemente, blasfemaba y escupía. Los cortes que aparecían en el tórax se hacían paulatinamente más inquietantes y aparecieron escritas en caracteres de sangre las palabras HELL (en inglés, infierno) y SPITE (rencor). El sufrimiento duró 24 noches. Después de ese tiempo, Robbie se curó. Abrió los ojos y dijo: «se ha ido».

¿Robbie estaba poseído por el demonio? ¿Tenía, como suele decirse, el diablo en el cuerpo? ¿O simplemente, como afirman en general los escépticos, se trataba de un caso de histeria o algo similar? Algunos expertos que han estudiado posteriormente el caso de Robbie son del parecer que fue atacado por una o más enfermedades mentales. Entre las posibles patologías, señalan el automatismo, que se caracteriza por acciones mecánicas o involuntarias, relacionado con la esquizofrenia; el síndrome de Gilles de la Tourette, que no es otra cosa que una perturbación de la personalidad en la cual el paciente grita de forma incontrolada, se contorsiona, emite sonidos similares a gruñidos y habla de forma ininteligible. También pudo haber sido, dicen, un desorden obsesivo-compulsivo. Sin embargo, los médicos que examinaron a Robbie no detectaron ninguno de estos síntomas.

El «Ritual Romano para la Posesión»

Cuando un miembro de la Iglesia se enfrenta a un supuesto caso de posesión, debe analizarlo según unos parámetros predeterminados. Según este ritual es preciso distinguir entre signos psíquicos y signos físicos. Merece la pena conocerlos, no para proceder a realizar exorcismos, sino para poder cuantificar hasta qué punto puede ser extraño el mundo en el que vivimos.

Signos psíquicos:

- Demostrar locura furiosa y odio hacia Dios, la Virgen y los santos, así como hacia los Símbolos Sagrados.
- Hablar lenguas desconocidas por el poseso.
- Descubrir cosas ocultas y conocerlas, aunque estén lejos del endemoniado.
- Mostrar una fuerza psíquica descomunal, muy superior a lo normal.
- Predecir cosas futuras.
- Influir sobre la materia, levantando y haciendo mover muebles y objetos.
- Haber sufrido un cambio integral de la personalidad primaria, y exteriorizar otra secundaria y desconocida.

Signos físicos:

- Tener una fuerza desproporcionadamente superior a lo que corresponde por la edad, peso y físico del poseso.
- Experimentar transformaciones físicas en todo el cuerpo o en partes de él, incluyendo la aparición de misteriosas palabras o signos marcados en la piel.
- Cambios bruscos en la voz (tono, timbre, etc.).
- Violentas convulsiones, contorsiones, y movimientos anormales, como por ejemplo girar el cuello 360 grados.
- Levitar.

El caso de las «hermanas satánicas»

En marzo de 2000, la Argentina fue escenario de un terrible crimen que conmovió a toda la sociedad. Dos hermanas asesinaron a su padre con un cuchillo, y fueron encontradas por la policía revolcándose desnudas en el charco de sangre que había dejado el asesinato. Algunos lo catalogaron como un «crimen de múltiple personalidad», mientras otros lo vieron como un caso real y extremo de posesión demoníaca.

Jorge, un vecino de la familia Vásquez, que vivía en la ciudad de Buenos Aires, contó que ese día no pudo dormir durante toda la noche porque los rezos que se oían en la casa de sus vecinos taladraban su cabeza como una gotera. A la mañana siguiente, los padrenuestros empezaron a elevarse de tono y, a la media tarde, los gritos se volvieron alarmantes. Al llegar, la policía, que había acudido ante una vulgar denuncia de ruidos molestos, se encontró con un caso de otra dimensión.

La casa de los Vásquez estaba cerrada con cuatro llaves. Tuvieron que echar la puerta abajo. Del otro lado, sobre el piso y empapado en sangre, yacía el cuerpo desnudo de un hombre, Juan Carlos Vásquez. Sus dos hijas, de 22 y 29 años, se retorcían sin ropas sobre la sangre, rodeando el cuerpo de su padre. Según los testimonios policiales, una de las jóvenes gritó: «¿Qué quieren? Esto no es real. Váyanse». Su voz era ronca, casi masculina. Estaba enfurecida y, para arrebatarle el cuchillo de cocina con que había asesinado a su padre, tres policías debieron unir fuerzas para controlarla. Tenía una fuerza descomunal y todavía parecía poseída.

Las hermanas fueron llevadas a un hospital neuropsiquiátrico. Ambas entraron gritando con voz ronca. Una de ellas dio un nombre falso, dijo que tenía 45 años y, al día siguiente, alegó no recordar nada de lo sucedido. Además, siguió hablando de su padre como si no supiera que lo habían asesinado. La otra balbuceaba palabras incomprensibles, con un acento que algunos médicos interpretaron como portugués. Este caso, sin duda, cumple con las pautas que la Iglesia ha determinado para corroborar un caso de posesión.

24

El triángulo de la muerte

Más de mil personas han desaparecido en el famoso Triángulo de las Bermudas a los largo de muchos años. No se han encontrado sus cuerpos ni resto alguno de sus pertenencias, no se ha vuelto a saber nada de ellas. Difícilmente se le puede atribuir este hecho a la casualidad. ¿Qué ocurre en ese diabólico triángulo que se alimenta de muerte y destrucción?

Antes de sumergirnos en este misterio, vamos a delimitar la zona afectada por el famoso «triángulo». Si trazáramos tres líneas imaginarias entre las Islas Bermudas, Puerto Rico y Florida, crearíamos una figura de 3.900.000 km^2. Ése es el inquietante espacio en el que la vida parece moneda de cambio.

Engullidos por el mar

Para muchas personas el Triángulo es un mito, una exageración, y creen que en todas las partes de la Tierra se producen desgraciados accidentes. La evidencia demuestra que no es así. Para ello vamos a repasar algunos de los casos más célebres. Sería imposible recopilarlos todos por razones de espacio.

En 1924 desapareció el carguero japonés *Raifuku Mar*, entre Bahamas y Cuba. Pudieron enviar un mensaje que resulta ciertamente aterrador:

Carguero *Anita*, desaparecido poco después de zarpar el 21 de marzo de 1973.

«Aquí el *Raifuku Maru*. Corremos peligro de muerte como una daga... Vengan pronto... No podemos escapar...»

Nunca se volvió a saber nada de la embarcación ni de su tripulación.

El *Cotopaxi* era carguero, y desapareció sin dejar rastro en su trayecto de Charleston a La Habana en 1925. Se perdió el contacto cerca de Cuba y jamás se volvió a saber.

El buque mercante *Suduffco* fue tragado por el océano tras su salida del puerto de Newark en 1926. Se dirigió hacia el sur para no volver a tener contacto con nada, al menos, de este mundo.

El carguero *Stevenger* sí volvió a tener contacto con el mundo. Fue encontrado intacto y vacío cerca de la isla de Cat, en las Bahamas, en 1931. Ni rastro de la tripulación. Otras 43 personas que aumentan el ingente número de desaparecidos en la zona sin ninguna explicación racional de lo que les pueda haber sucedido.

El *Anglo-Australian* fue un carguero que desapareció sin dejar rastro en el mes de marzo de 1938. Con una tripulación de 39 hombres a bordo y, a su paso por las Azores con rumbo al oeste, hacia el Triángulo, radió su último mensaje que decía: «Todo bien».

El *Gloria Colite* era un yate de lujo de las Antillas británicas que desapareció en febrero de 1940. Apareció sin un rasguño y con las camas hechas, pero vacío y a unos 300 kilómetros al sur de Mobile, Atlanta.

Más sorprendente es el caso de *El Rubicón,* un carguero cubano que desapareció el 22 de octubre de 1994. Se encontró en la costa de Florida, sin rastro de la tripulación a excepción de un perro.

Este dato es curioso. Normalmente, en los barcos sólo desaparecen humanos y loros, que son los únicos animales que pueden imitar el habla humana.

El *Vuelo 19:* el triángulo se hace famoso

De todos los casos, seguramente el más célebre es el del *Vuelo 19,* que es el que dio la señal de alarma y demostró que algo muy extraño estaba ocurriendo.

De la base de Fort Lauderdale en Florida (EE UU) despegaban a diario aviones con todo tipo de misiones. La mañana del 5 de diciembre de 1945, había en la pista 5 bombarderos Avenger TBM listos para despegar. Su misión era de lo más rutinaria: dirigirse en línea recta hacia el este, hacia el océano Atlántico, recorrer la distancia de 160 millas, girar y volver a la base, realizando por el camino alguna maniobra de entrenamiento que no entrañaba ningún peligro. El tiempo era favorable, los aviones estaban en perfectas condiciones y los depósitos de carburante tenían gran autonomía.

Al mando estaba el teniente Charles C. Taylor, que comandaba a quince hombres, tres por avión. El bombardero de Taylor llevaba el número de serie 19.

A las 14:00 despegaron de la base sin novedad. Durante las casi dos horas siguientes, la torre de control de la base Lauderdale estuvo en contacto con la escuadrilla con regularidad, hasta que a las 15:45 se estableció el siguiente diálogo:

> «Torre de control, torre de control. *Mayday, mayday.* Nos hemos desviado del curso original. Parece que nos hemos desviado. Creo que nos hemos perdido. No estamos seguros de nuestra posición. ¡No logramos avistar tierra!»
> «Aquí torre, *Vuelo 19.* Indíquenos su posición actual.»
> «No estamos seguros. Repito, no podemos avistar tierra. No sabemos si estamos sobre el océano o sobre el golfo.»
> «Aquí torre. Tranquilícense, pongan rumbo al oeste y pronto avistarán la costa.»
> «No sabemos dónde está el oeste. Todo funciona mal. Es muy extraño. El mar está muy raro...»

Este avión desapareció en 1948. Había partido de Londres y su destino era la Habana.

El contacto se interrumpió. El operador informó a sus superiores de la extraña alerta del *Vuelo 19.* En los siguientes 10 minutos no se pudo restablecer el contacto, pese a que se oía hablar a los pilotos muy alarmados.

Minutos antes de las 16:00 pudieron volver a escuchar a Taylor durante unos instantes:

> «No estamos seguros de nuestra posición, no sabemos exactamente dónde estamos, creo que a unos 360 Km de la base... Algo extraño ocurre en el mar, el agua es blanca...»

La torre, ya en estado de máxima alerta ante un posible ataque, intentaba contactar con los pilotos del *Vuelo 19.* Tras un largo silencio, se pudo volver a escuchar a los pilotos entre sí, ya no alarmados, sino aterrorizados:

> «¡Estamos perdidos, completamente perdidos! ¡Y parece que...!»

Ése fue el último contacto que la base pudo escuchar del escuadrón. La actividad en Fort Lauderdale se volvió frenética intentando encontrar a los pilotos. ¿Qué podía asustar tanto a unos pilotos experimentados para que ni siquiera fueran capaces de describirlo?

El ejército estimó que el último contacto se había realizado a unos 150 Km al nordeste de la base naval de Banana River, en la costa de

Florida. De allí despegó el Martin Mariner, un hidroavión del ejército estadounidense especializado en rescate en el mar, con una tripulación de trece hombres.

Cuando parecía que serían incapaces de establecer contacto de ningún tipo con el *Vuelo 19,* ocurrió lo inesperado, respondieron:

> «Martin Mariner: *Vuelo 19,* nos dirigimos hacia vosotros para guiaros de vuelta. ¿A qué altitud estáis?»
> «¡No nos sigáis!»

Y esas tres palabras de aviso fueron el epitafio del *Vuelo 19.* El hidroavión siguió buscando y de repente perdió todo contacto con la base. Nunca se volvió a saber ni de él ni de su tripulación.

Doce años más tarde un ex oficial de las fuerzas armadas, John Myre, encontró el lugar exacto en que podrían haber caído al océano aquellos aviones. Pese a que Myre había acertado, no se le pudo dar crédito hasta 1994, cuando el oceanógrafo Graham Hawkes se embarcó en su velero *Deep Sea,* dotado de alta tecnología, en la búsqueda del *Vuelo 19* allá donde Myre había predicho que podía estar.

El sumergible a control remoto del *Deep Sea* hizo un increíble descubrimiento a 400 metros de profundidad: los restos de un bombardero posado en el fondo marino. No se encontró ningún resto humano en su interior ni alrededores, ni tampoco se pudo identificar el avión, ya que el número de serie había sido borrado por la corrosión. En un radio de kilómetro y medio se encontraron otros cinco aviones similares.

Al no haber sido jamás identificados, unos creen que son restos de aviones abatidos en la guerra y otros que se trata del tristemente famoso *Vuelo 19.*

Este caso fue muy importante porque fue el primero aéreo del que se tiene constancia y porque hubo diálogo con la base. Después se sucedieron muchos más. De hecho todavía hoy en día sigue desafiando a la lógica.

¿Lo produce todo una pirámide sumergida?

Robert Brush, un cazatesoros marino, hizo una fotografía de la zona en la que se veía una forma piramidal. Intentó localizarla en una posterior expedición, pero no encontró nunca el lugar exacto. Existen otros testigos que también aseguran que la han visto. En 1977, la comunidad científica admitió la presencia de un objeto de grandes dimensiones que tenía la forma de una pirámide invertida. Se han creado muchas teorías al respecto. Muchos consideran que esa pirámide tenía como objetivo

Los otros triángulos de la muerte

Varios estudiosos han demostrado que el Triángulo de las Bermudas no está solo en su sangrienta carrera de desapariciones. Tal vez es el más célebre, pero no es el único. Algunos estudiosos han llegado a encontrar 12 triángulos, equidistantes entre sí, en los que se han constatado desapariciones misteriosas. Uno de los más famosos es el del Diablo o del Dragón. Para delimitar la zona, deberíamos trazar una línea desde una punta de la costa de Japón hacia el Sur, en dirección a la isla de Guam, otra al este de la isla de Wake y enlazar ésta de nuevo con Japón. En la actualidad, se cifran en cientos las desapariciones en extrañas condiciones ocurridas en el interior del perímetro que delimita el triángulo. Sin embargo, pocos en esas tierras se atreven a hablar de lo que allí acontece y el secretismo parece sellar el asunto.

Otro terrible lugar sembrado de enigmas es el llamado triángulo del Mediterráneo Occidental. Hay muchas disputas para delimitar sus coordenadas, pero la mayoría coincide en que sus vértices son el monte Canigó, en los Pirineos franceses (donde entre 1945 y 1969 se produjeron once catástrofes aéreas, con más de doscientas víctimas humanas), la localidad africana de Tinduf, cerca de la frontera conjunta de Mauritania, Marruecos y Argelia, y las Islas Canarias.

Por último, también se habla de un triángulo terrestre, que se situaría en Afganistán. El triángulo abarcaría la zona próxima al Golfo Pérsico, por el sudeste, que constituye, más que un triángulo, un romboide mortal centrado entre los 36 grados norte y los 75 este, aproximadamente. Entre 1939 y 1945 los aliados y los norteamericanos establecieron una ruta aérea de abastecimiento y control que sobrevolaba Afganistán. Durante esos años desaparecieron misteriosamente varios aviones norteamericanos.

captar energía cósmica. Cuando está en funcionamiento aniquila todo lo que se cruza en su camino. Muchos piensan que podría ser un invento de los habitantes de la Atlántida que quedó en desuso. Otros, en cambio, consideran que se debe a experimentos que se realizan en la zona y que podrían beneficiar a ciertos gobiernos.

Los túneles atmosféricos

Este término fue acuñado por Eduard Snedcker, principal valedor de esta hipótesis. El investigador demostró la existencia de puntos geomagnéticos conjugados. Estos puntos son los extremos de las líneas de fuerza del campo magnético terrestre. Snedcker sugiere la existencia de tubos gigantescos, que vendrían a ser zonas de la atmósfera en forma cilíndrica donde el aire tendría extraños comportamientos al estar influenciado por alteraciones magnéticas. Ello provocaría que pudieran succionarse barcos y aviones al atravesar el tubo y someterse a una gravedad diferente a la habitual, podrían, incluso, desintegrarse o aparecer en otro lado del túnel.

Bases extraterrestres

Algunos ufólogos han sugerido que las desapariciones podrían deberse a que existen bases de alienígenas. Dependiendo de la teoría, los extraterrestres son malos y secuestran a humanos para experimentar con ellos, o son buenos y no son conscientes de que esas bases provocan un magnetismo letal para los humanos que se acercan a la zona.

Una fosa de metano

En la actualidad se está dirigiendo una prestigiosa investigación internacional que quiere demostrar que la presencia de una gran fosa de metano podría provocar los extraños accidentes del triángulo, ya que este metal puede influir en las leyes electromagnéticas.

¿Un enclave espiritual?

Una de las más exóticas de estas explicaciones fue la que dio el reverendo Donald Omand, que estaba convencido de que en el fondo del mar había espíritus de un barco de esclavos que se hundió hace siglos. El reverendo practicó un exorcismo para liberar sus almas y son muchos los que mantienen que desde entonces no ha habido tantos accidentes.

Sin embargo, lo cierto es que el triángulo de las Bermudas sigue siendo una incógnita. Pocos dudan de que algo fuera de lo normal ocurre en esas aguas. Nadie sabe lo que es.

25

¿Hay barcos fantasma surcando los océanos?

Van a la deriva, aparentemente sin tripulación, pero muchos dicen que están tripulados por los espíritus de sus antiguos inquilinos. Suena a leyenda negra. Pero existen casos ciertamente inquietantes. ¿Cómo puede seguir navegando un barco, sin un rasguño, pero sin rastro de vida humana? ¿hay fantasmas en su interior? ¿Son barcos del más allá? Para entender qué es lo que ocurre, tendremos que analizar diferentes casos terriblemente inquietantes.

El *Mary Celeste* o la nave errante

Corría el año 1872. El 7 de noviembre zarpó de Nueva York el bergantín *Mary Celeste,* con una carga a bordo de alcohol industrial, con rumbo a Génova. El capitán del navío era Benjamin Spooner Briggs, que iba a acompañado de 11 personas, entre las que se contaban su esposa Sara y su hija Sofía, de tan sólo dos años.

El 5 de diciembre de ese año, otro bergantín, el *Dei Gratia,* avistó un barco a la deriva. Estaba intacto, pero la tripulación había desaparecido. El capitán, David R. Morehouse, que era amigo de Spooner, reconoció de inmediato el *Mary.*

Reconstrucción de la desaparición del *Mary Celeste*.

El *Dei Gratia* intentó contactar con el *Mary Celeste* por todos los medios, pero nadie parecía estar a bordo. Las velas del *Mary* fueron lo que primero alertó a Morehouse de que algo extraño estaba sucediendo. La del mástil principal estaba orientada hacia su ruta, mientras que la posterior estaba hacia estribor. A la sazón faltaban dos velas posteriores.

Morehouse ordenó a su primer oficial y a su piloto que subieran al Mary e investigaran. Lo que encontraron a bordo es algo que nadie ha podido explicar.

El barco, tal y como parecía desde el mar, estaba intacto, con un único desperfecto: el compás de bitácora había sido destruido. El timón se hallaba a merced de las olas, y las velas, como se ha explicado, extrañamente dispuestas, como si la tripulación hubiera huido dejándolo todo en ese estado. De hecho, ésa era la sensación general que todo desprendía, que la tripulación había tenido que dejar todo a medias para escapar de alguna amenaza.

Los marinos encontraron ropa húmeda recién tendida a secar y una tetera con agua en el fuego que empezaba a hervir, pero la prueba definitiva de que acababan de irse fue que la pipa del capitán aún humeaba. También advirtieron que faltaba el bote salvavidas, por lo que pensaron que tal vez acaban de irse y era posible rescatarlos. Todos los oteadores con catalejos buscaron a los desaparecidos, el piloto y el primer oficial bajaron a la bodega, donde encontraron la carga intacta, por lo que se descartó que pudieran haber sido atacados.

Otros hallazgos curiosos fueron las valiosas joyas de la esposa de Spooner Briggs, que se hallaban en la caja fuerte intacta en el camarote del capitán. En el mismo sitio encontraron la espada envainada de éste y el cuaderno de bitácora, que creyeron que podría aclarar el misterio, pero la última anotación del 24 de noviembre sólo decía:

> «Estamos a unas 110 millas al oeste de la isla de Santa María, en las Azores.»

El *Mary Celeste* se hallaba en esos momentos a unas 500 millas de donde se habían escrito esas últimas palabras. ¿Cómo había llegado hasta allí? ¿Qué había ocurrido con la tripulación? ¿Qué sentido tenía abandonar el barco de aquel modo?

El *Mary Celeste* siguió navegando, aunque casi ningún marinero quería subir a él. Tuvo un triste final, ya que su entonces capitán Gilman Parker, tras una noche de borrachera, lo estrelló contra un arrecife cerca de Haití. Siempre mantuvo que lo hizo expresamente para acabar con la leyenda negra de aquel barco que se llevó su tripulación al infierno.

Un barco fantasma sin nombre

El 20 de agosto de 1881, el vigía del barco de carga *Ellen Austin* divisó una goleta con aparentes muestras de abandono, aunque sin indicios de haber sufrido percances. Pero había algo inquietante. El barco fantasma no tenía nombre: la placa con el mismo había sido arrancada.

El capitán Baker ordenó acercarse a investigar y finalmente abordar el barco en vistas de que nadie contestaba a sus llamadas desde cubierta y ni siquiera a los disparos al aire que realizó.

El barco estaba en perfectas condiciones, pero no hallaron el cuaderno de bitácora ni ningún documento que identificara ni la nave ni su destino ni su procedencia. Parecía tratarse de un barco que transportaba madera de América Central hacia Europa, algo muy habitual en aquella época. En su bodega había un cargamento de carísima madera de caoba.

De nuevo, el robo no era la causa. Además, no había rastros de violencia que apuntaran un motín. Así que el capitán decidió llevársela a puerto, donde seguramente recibiría una buena recompensa por haber encontrado esa valiosa nave.

Durante el primer día navegaron ambos barcos uno junto al otro plácidamente, hasta que al segundo día una tormenta los separó entrada ya la noche. Cuando salió el sol, el *Ellen Austin* estaba solo de nuevo en medio de la inmensidad del océano. Empezaron la búsqueda temiendo lo peor, pero no encontraron restos de ningún naufragio ni ningún otro vestigio del otro buque. Al final del tercer día de búsqueda, el mismo Baker vio en su catalejo, aliviado y feliz de nuevo, la silueta de la goleta en el horizonte.

La historia se repitió. Les hicieron señales, dispararon al aire, pero nadie contestaba. Cuando la abordaron, encontraron de nuevo lo mismo que la primera vez: la tripulación se había evaporado como por arte de magia. No había nada que certificara que allí había habido personas tres días antes. Ni siquiera habían tocado las provisiones que llevaban. Aquello era muy extraño.

Baker no salía de su asombro, pero estaba empecinado en llevar aquel barco a buen puerto. Organizó una nueva tripulación y ambas naves volvieron a navegar juntas. Esta vez con orden expresa de no separarse en ninguna circunstancia del *Ellen Austin* y de abandonar la goleta inmediatamente en el bote salvavidas si sucedía algo anormal.

Los dos días siguientes fueron tranquilos y los ánimos de todos los hombres se fueron calmando, pero de repente empezó a llover y una fina neblina envolvió las naves. Poco a poco y sin poder evitarlo, la goleta empezó a quedarse rezagada y a separarse del *Ellen Austin,* aunque se mantenían a la vista. Entonces la niebla se espesó y perdieron totalmente el contacto visual, por lo que viraron inmediatamente para ir a buscarla, pero había desaparecido

Horas más tarde, cuando la niebla se disipó, no hallaron ni una prueba de la existencia de la goleta. La niebla se tragó al barco fantasma.

El *Southern Cities:* una bomba química

El *Southern Cities* era un remolcador de 20 metros de eslora, que zarpó de Freeport, Texas, el 29 de octubre de 1966, remolcando una enorme barcaza de 64 metros de largo repleta de productos químicos.

Un día, sin más, perdió todo contacto con la base. La empresa propietaria dio parte a las autoridades y se inició la búsqueda. Dos días más tarde se encontró la barcaza remolcada con la carga intacta y el cable remolcador... sin nada que la remolcara al otro extremo. Jamás se halló rastro alguno del *Southern* ni de su tripulación.

Una junta de investigación de la Guardia Costera determinó en un informe que no sabían qué pensar al respecto y, como en muchas ocasiones, declaró que la causa del desastre habría sido de origen tan repentino que no tuvieron tiempo de transmitir siquiera un mensaje de ayuda.

¿Barcos desaparecidos o barcos fantasma?

Se ha de tener en cuenta que no es lo mismo un barco fantasma que un barco desaparecido. A menudo se confunden estos dos términos, sobre todo cuando un barco desaparece en extrañas condiciones. En muchos casos tiene contacto con la base e indica que todo va bien. Minutos más tarde no se vuelve a saber de él. O es visto por algún otro barco y justo antes de llegar a su destino, no se sabe qué ocurre. Son casos ciertamente misteriosos, pero no se les puede considerar barcos fantasma.

Teorías para todos los gustos

El caso de los barcos fantasma se resiste a cualquier investigación. Hemos escogido estos tres porque aparte de ser los más famosos, demuestran que no siempre ocurre lo mismo y que por ello es especialmente difícil dictaminar una posible causa.

Aquí no hay explicación racional. La corriente más escéptica sólo puede dudar de los datos aportados e imaginar explicaciones inconcretas: tal vez se ahogaron y el barco luego reflotó, quizá fueron recogidos por otra embarcación que los llevó a otro lugar... No hay pruebas, sólo queda la duda.

Y donde hay duda, se abre la veda para todo tipo de hipótesis. La más conocida en el mundo de la ufología asegura que los extraterrestres tienen bases submarinas a las que llevan a los humanos para experimentar con ellos. Algunos investigadores creen que ciertos gobiernos hacen lo propio, aunque es bastante improbable que esta suposición sirva para justificar casos de siglos pasados.

Otros opinan que hay personas que se vuelven locas en alta mar. El viento o algún maleficio del barco los convierten en el verdugo de su tripulación y luego acaban matándose. Pero ¿no se habría encontrado al menos en alguna ocasión un cadáver? ¿Algún signo de violencia? ¿Cómo se explicaría que todo estuviera dispuesto como si acabaran de abandonar la embarcación en aquel preciso instante?

También existe una teoría fantasmagórica que habla de los espíritus de los marinos muertos que atraen hacia el fondo del mar a todas las personas que pueden. No es de extrañar que surjan tantas teorías y haya tan pocas certezas. Son casos intrigantes que se resisten a la lógica.

26

¿Puede teletransportarse un barco?

Se trata del caso más apasionante del siglo pasado y al tiempo uno de los experimentos secretos más relevantes de la historia que para algunos, tuvo detrás los conocimientos de los grandes iniciados de las sociedades secretas

¿Teletransportó el gobierno de Estados Unidos un barco con toda su tripulación de un muelle a otro? ¿Existía tecnología para poder hacerlo en 1943? Estas cuestiones siguen intrigando a investigadores de todo el mundo que aún no han conseguido el reconocimiento gubernamental que valide sus teorías, y difícilmente lo lograrán. Porque de ser cierto sería uno de los secretos mejor guardados de Norteamérica. Tal vez una de las armas más potentes y desconocidas que existen hasta el momento.

Este experimento, según los estudiosos del tema, tendría lugar en 1943, en plena Segunda Guerra Mundial. Dos años antes la flota americana de Pearl Harbour había sido atacada por los japoneses, y Estados Unidos había entrado en la contienda. Los experimentos con tecnología atómica habían finalizado, pero había otras vías de investigación. Este contexto es muy importante para comprender lo que ocurrió, y también para entender que no hubiera ninguna filtración. Hemos de tener en cuenta que, en tiempos de guerra, revelar cualquier secreto se convierte en alta traición.

Por ello, seguramente, se consiguió silenciar el tema hasta muchos años después.

¿Viaje en el tiempo o contacto extraterrestre?

Se sabe muy poco de lo que ocurrió durante el tiempo en que el barco desapareció. De hecho, todos los testigos sólo han hablado de lo que ellos observaron, pero es muy probable que desconocieran el verdadero objetivo del controvertido experimento. Por ello, se han elaborado muchas teorías al respecto.

Una de las principales hipótesis apunta a que se trató de un viaje en el tiempo. Algunos creen que tenían una misión concreta, cambiar algún momento clave de la historia. Otros, en cambio, creen que la energía pudo propulsar el barco hasta algún lugar donde se hubiera acordado un encuentro con seres de otro planeta. De todas formas, ninguno de estos dos puntos ha podido ser respaldado con pruebas o argumentos.

Las cartas que anuncian el misterio

En 1979, Charles Berlitz, uno de los estudiosos más famosos del Triángulo de las Bermudas, junto a William Moore, célebre por sus estudios ufológicos, destaparon un suceso desconocido hasta aquel momento.

La historia que rodea al descubrimiento es casi tan apasionante como lo que aconteció. La primera persona que tuvo noticia de este experimento fue Morris Ketchum Jessup, profesor de astronomía y matemáticas célebre por descubrir varias estrellas. Pese a su formación científica, Jessup estaba interesado por la vida fuera de la Tierra y, en concreto, sobre el funcionamiento del campo unificado, que permitiría propulsar las naves extraterrestres.

Tras la publicación de su primer libro en este sentido, empezó a recibir correspondencia de un extraño lector que a veces firmaba como Carlos Miguel Allende y que en otras ocasiones lo hacía como Carl M. Allen. La primera carta llegó el 13 de enero de 1956 y desde entonces se sucedieron sin pausa y sin tregua.

El lector le pedía que abandonara las investigaciones sobre el campo unificado, puesto que en 1943 la Marina de los Estados Unidos había llevado a cabo un experimento que había acarreado horrorosas consecuencias para la tripulación. Allende aseguraba que se había conseguido que un barco se hiciera invisible y fuera teletransportado a otra región. No recordaba nada más, pero se ofrecía a ser hipnotizado, por si alguna parte de su cerebro albergaba información que él mismo desconocía.

Paralelamente, en 1955, había sido enviado un libro de Jessup con extrañas notas al margen a la Oficina de Investigación Naval (ONR). El ejemplar cayó en manos del comandante George W. Hoover, Oficial de Proyectos Especiales, y del capitán Sidney Sherby. Ambos poseían un interés personal por el tema (no se cree que estuvieran respaldados por la ONR). Así que se pusieron en contacto con Jessup, que reconoció la letra de Allende. Los marinos publicaron el libro con las anotaciones en una pequeña editorial de Texas, mediante una edición limitada que pagaron de su propio bolsillo.

Jessup se dispuso a seguir estudiando el caso, pero el 20 de abril de 1959 fue hallado su cuerpo en su furgoneta y con una manguera conectada con el tubo de escape. Todo hacía pensar en un suicidio. Las extrañas condiciones dieron pábulo a todo tipo de teorías: desde el asesinato de Estado a un crimen cometido por seres de otra galaxia. La versión oficial se mantuvo: tenía problemas personales que le llevaron a quitarse la vida.

Aparece un testigo ocular

Con su muerte, la investigación que llevaba a cabo quedó interrumpida hasta que, años después, Charles Berlitz y William Moore le tomaron el relevo. Intentaron establecer contacto con el enigmático Carlos Allende. Descubrieron que sirvió en la Marina de los Estados Unidos desde julio de 1942 hasta mayo de 1943 (cuando se llevó a cabo el experimento). A partir de entonces y hasta 1952 trabajó en la Marina Mercante. En esa fecha, se pierde su rastro y empiezan las especulaciones.

Allende colaboró con las investigaciones y aseguró que, en 1943, el doctor Franklin Reno desarrolló la teoría del campo unificado de Einstein y dirigió un ensayo por el cual el barco *Eldridge* y su tripulación se volvieron invisibles. Allende presenció el experimento a bordo del buque *Andrew Furuseth,* que se mantenía cercano, y observó que el barco fue sumergido en un campo de fuerza que se extendía hasta unos 100 metros de distancia y que, incluso, zambulló su mano en el extraño campo. De hecho, se trataba de una niebla verdosa, fosforescente. Esto no es anecdótico, pues muchas de las desapariciones que han tenido lugar en el Triángulo de las Bermudas describen el mismo escenario.

El barco se volvió invisible

El experimento concluyó con un éxito notable: el barco se desvaneció ante los ojos de los observadores y volvió a aparecer (algunos dicen que allí mismo, mientras que otras teorías mantienen que en otro muelle). Pese al triunfo de las pesquisas científicas, el precio que pagó la tripulación fue tan alto como terrible. Algunos hombres perecieron, otros enloquecieron y, por último, algunos presentaron episodios incontrolables de invisibilidad.

Allende había guardado una intrigante noticia aparecida en un periódico de Filadelfia: en un bar cercano al puerto de esta ciudad, un grupo de marinos causó un gran escándalo al desaparecer repentinamente. El ex marino también aseguraba tener constancia de que se había realizado otro experimento similar en 1956 –que él no había presenciado personalmente– y que a partir de esa fecha, se abandonaron estas investigaciones.

Las razones podían ser diversas: falta de presupuesto, un costo demasiado alto en vidas o, tal vez, haber ratificado sus teorías. Estaríamos hablando de una posible invisibilidad o de casos de teletransporte completamente incontrolados. Un misterio que sigue intrigando a todos los investigadores que no han conseguido una respuesta a sus interrogantes.

27

El misterio de los saltos en el tiempo

¿Qué ocurriría si el tiempo no siguiera esas férreas mediciones? ¿Si de repente saltara, sin más, y nos llevara a otra época? Hay casos documentados de saltos en el tiempo y cada vez son más los investigadores que creen que no está todo dicho sobre la cronología.

Es probable que las leyes cósmicas no se ciñan a las humanas. Esto ha ocurrido, si creemos los múltiples casos en todas partes del mundo y en todas las épocas, mucho más frecuentemente de lo que imaginamos. De repente, confluyen dos espacios temporales: el que vive el testigo del fenómeno, y otro, que puede ser pasado o futuro.

Llegó en bici al siglo XIII

Uno de estos saltos temporales más famosos le ocurrió a la señora Turrell-Clarke, que vivía en Surrey, Inglaterra. Iba en bicicleta a la iglesia por una moderna carretera. De repente, ésta se transformó en un campo y se dio cuenta de que iba a pie y que estaba vestida como una monja de un tiempo remoto. Se encontró a un hombre ataviado como un campesino del siglo XIII que le cedió el paso. Al cabo de poco, todo pasó y el paisaje volvió a ser el que conocía, pero pasado un mes, cuando estaba en la iglesia, ésta se transformó y se convirtió en el edificio que fue siglos atrás.

La mujer que volvió a la época de las cavernas

Otro caso inquietante es el de Anne May, una maestra que el 29 de mayo de 1973 visitó un yacimiento arqueológico. Se quedó como ausente un minuto y cuando abrió los ojos, se vio en mitad de una escena rupestre, con hombres cubiertos con pieles que arrastraban unos monolitos. De repente, se interrumpió la visión cuando llegaron un grupo de turistas de su época.

Otros dos casos increíbles

Célebre es también el caso de dos inglesas, las señoritas Moberlye y Jourdain que visitaron los jardines de Versalles en el verano de 1901. De repente retrocedieron a la época de María Antonieta. Nadie les creyó, aunque aportaron datos históricos muy precisos que no podrían haber sabido de ningún otro modo.

También existen casos en los que el protagonista no se sumerge en el pasado sino en el futuro. Tessa G. (nunca ha querido proporcionar su nombre completo) escuchó terribles gritos de niños mientras visitaba la Torre de Londres. Cuatro meses después, el 17 de julio de 1974, una bomba explotó en ese lugar hiriendo a 33 personas, entre las que se contaban muchos niños.

Romper las barreras

Estos casos provocan cierto escepticismo en la comunidad científica y sólo encuentran justificaciones paranormales en lo esotérico. Se les atribuye visiones, apariciones de fantasmas o antiguas reencarnaciones, pero ¿y si de verdad ocurriera?, ¿y si hubieran ciertas leyes físicas que desconocemos que pudieran explicar este fenómeno? Nuestros antepasados se sorprendían ante un rayo o un eclipse, y ahora estos fenómenos tienen una clara explicación física. Tal vez con los saltos temporales ocurra lo mismo.

De momento, los que abogan por esta teoría han recopilado una serie de fenómenos físicos que coinciden en todos estos casos, con personas que provienen de diferentes partes del mundo y que nunca han tenido contacto. Suele haber un desencadenante: normalmente tocar un objeto que tiene una larga historia. El cambio de época es muy brusco y el sujeto tiene durante toda la experiencia la sensación

Estas dos mujeres, ambas profesoras (Ann Morbeley y Eleanor Jourdain), salieron a pasear por los jardines de Versalles y se toparon con varias personas de aspecto extraño. Su indumentaria se correspondía con la que se usaba en la época de María Antonieta. ¿Fue un salto en el tiempo o la presencia de fantasmas? Durante años numerosos testigos presenciaron imágenes similares.

de estar viviendo en dos épocas a la vez. Pero el testigo no es sólo un observador, siente que forma parte del ambiente. Suele ver frecuentemente una luz plateada y durante todo el rato que dura oye y ve de una forma alterada. En algunos casos experimentan náuseas o mareos justamente antes de que se inicie el salto temporal.

Todo esto nos remite a síntomas muy físicos que tal vez tengan que ver con una explicación igualmente física que, de momento, la ciencia no puede proporcionar.

Átomos desconocidos

Hace tiempo que muchos científicos apuntan que aún se desconocen muchas propiedades de los átomos. Se sabe cómo actúan en conjunto, cuando forman estructuras, pero se ignora la potencialidad que tienen por separado. Esto ha llevado a pensar que no se ha tenido en cuenta que puedan cambiar de época, de tiempo, de lugar. Aquí se abren dos posibilidades: que efectivamente los átomos nos puedan transportar en el tiempo por mecanismos que todavía no han sido estudiados, o que lleven grabada una conciencia del tiempo que nos revelen en ocasiones muy concretas. Además del funcionamiento del átomo, debemos tener en cuenta, a la hora de analizar esta cuestión,

¿Podrían ser los ovnis viajeros del futuro?

Últimamente ha surgido una teoría que va ganando posiciones en el campo de la ufología. Es la llamada «Hipótesis temporal», también conocida como la de los crononautas. Según estos razonamientos, los avistamientos de ovnis son ciertos, pero su explicación no es la que les damos habitualmente. No se trata de seres de otros planetas sino de nuestros descendientes, que han conseguido la tecnología suficiente para viajar por el tiempo y regresar a su pasado, que es nuestro presente. Eso explicaría, por ejemplo, que sus apariciones y desapariciones fueran tan repentinas. El aspecto humanoide que presuntamente tienen estos extraterrestres podría deberse a una evolución de nuestra raza. Si pudiéramos viajar a los tiempos del *homo sapiens,* seguramente nosotros también les pareceríamos alienígenas. El primero en apuntar esta teoría fue el capitán francés Clerouin, a principios de los años 50. En plena efervescencia del fenómeno UFO sus teorías apenas tuvieron respaldo. Pero con el paso del tiempo cada vez son más los que empiezan a suscribirse a esta hipótesis.

que el cerebro funciona eléctricamente. Está comprobado que no todos actúan en la misma frecuencia. ¿No sería posible que algunas personas puedan sintonizar con ondas del pasado o del futuro que están allí, pero que no son percibidas por la mayoría?

La concepción del tiempo

Esto nos hace volver al interesante tema que apuntábamos al principio: concepción del tiempo. Puede que estemos compartiendo un mismo espacio con el pasado y el futuro. Las fronteras temporales las hemos fabricado nosotros, pero ¿existen?

J. W. Dunne se planteó esa cuestión en los años 20, en el libro titulado *Un experimento con el tiempo*. Dunne solía tener premoniciones en sueños y llegó a la conclusión de que mientras dormía su mente no estaba sujeta a la concepción del tiempo racional. Por eso, en ese momento podía acceder a la información del pasado y del futuro que compartía espacio con el presente.

El escritor J. B. Priestley tomó el relevo de sus investigaciones y fue más allá. Distinguió tres tipos de tiempos. El primero sería el del reloj. El segundo el del futuro posible, y el tercero el de la imaginación creadora. Su aportación es reseñable en el sentido en que se considera al tiempo cronológico como una invención para explicar la sucesión de acontecimientos.

En este sentido, el psicólogo Carl Jung también aporta interesante información con la teoría de la a-causalidad. Nosotros ordenamos los sucesos por causa y consecuencia, que es la única forma en que los entendemos, pero el Universo es a-causal, según sus teorías, por lo que el tiempo también lo sería.

Todas estas teorías resultan interesantes porque nos dan idea de lo poco que conocemos del tiempo. De hecho, para muchos, la cuarta dimensión que permitiría viajes en el tiempo, responde a unas ciencias físicas que todavía no conocemos. Por tanto, todas estas cuestiones quedan abiertas a la espera de que la ciencia avance lo suficiente para poder responderlas.

28

La autopsia de un alienígena: el caso Roswell

Cuando hablamos de extraterrestres, surge un caso en la mente de todos: Roswell. Dicen que se le pudo hacer una autopsia a un ser de otro planeta. Existen fotos, imágenes, testigos... Es el expediente UFO más famoso de todo el mundo. Pero tal vez por ese bombo y platillo poco sabemos en realidad de lo que ocurrió. Nos hemos quedado con el titular, pero debajo hay un texto tan misterioso como apasionante que vale la pena descubrir. Quizá esta no sea sino una trama secreta más de esas que todo el mundo sabe que existen, pero nadie reconoce abiertamente.

La primicia más corta de la historia del periodismo

Vamos a retroceder un poco en el tiempo y a movernos en el espacio. Nos encontramos el 3 de julio de 1947 en las proximidades de Roswell, en Corona, Estado de Nuevo México. Un objeto desconocido explota en la granja de Mac Brazel. Días más tarde los militares de la Base Roswell acuden a la propiedad de Brazel y se llevan todos los vestigios. El Coronel William Blanchard le explica a la prensa que se ha encontrado una nave de otro planeta. La noticia vuela por todo Estados Unidos, pero rápidamente es desmentida por la comandan-

Grupo de investigación

Se cree que Harry S. Truman le pidió al doctor Vannevar Bush que organizara un grupo de investigadores multidisciplinar que estudiara lo ocurrido en Roswell. Poco se sabe de los miembros de la investigación, ya que se les prohibió hablar de nada de lo que allí vieran. En aquel momento se llamó a los alienígenas EBE (Entidad Biológica Extraterrestre). Este nombre se le atribuye al doctor Detlev Bronk, pero no triunfó, la prensa se encargó de encontrar nuevas nomenclaturas que se hicieron mucho más populares.

cia de Fort Worth, que muestra los restos de un globo meteorológico. Ha habido un error: no hay extraterrestres.

Las consecuencias de la espectacular noticia desaparecen con la negación oficial. Durante treinta años la historia es silenciada. Se cree que el tema volvió a salir a la luz de forma casual. El físico nuclear Stanton Friedman fue a un programa de la televisión de Louisiana en 1978 para hablar de sus investigaciones sobre vida en otros planetas. El director de la emisora le comentó que conocía a un hombre que había tocado fragmentos del OVNI de Roswell. Se llamaba Jesse Marcel y había trabajado para el ejército. Vivía en Houma, Louisiana, y el científico se fue a visitarlo. Jesse Marcel era oficial de la información de la RAF en el momento del accidente. Recogió los restos y los entregó en Wright Field, en Ohio. El lugar no era casual, se trataba del depósito de material capturado enemigo.

El ufólogo William Moore, que colaboraba con Friedman, empezó a recopilar información para delimitar la fecha exacta, pues Marcel no la recordaba. Cuando dieron con los artículos que se publicaron en su día, pudieron empezar la investigación.

El caso más conocido del mundo

Entrevistaron a todas las personas que tuvieron relación con el suceso: en total localizaron a 92. Los testigos más sorprendentes fueron los de Glen Dennis, que era un antiguo trabajador de una funeraria que trabajaba para la base aérea. Le preguntaron cómo tratar unos cuerpos pequeños, pero en su siguiente visita fue expulsado. Dennis

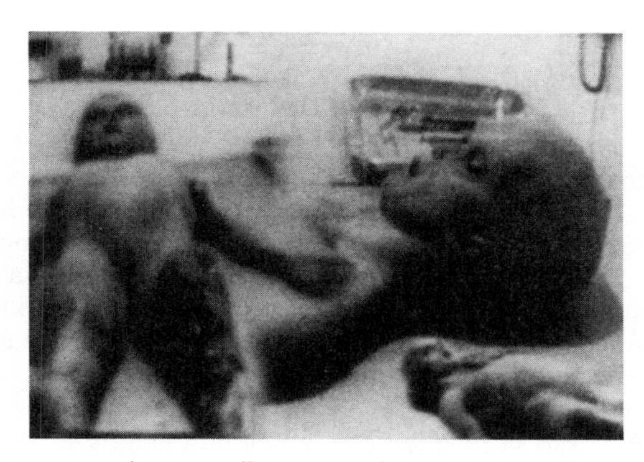

El extraterrestre de Roswell, imagen del polémico vídeo en el que se puede apreciar la autopsia efectuada al ser llegado de las estrellas.

había hablado con una enfermera de la base que le dijo que se había practicado la autopsia a unos cuerpos malolientes. Dennis recuerda que le dijo que tenían la piel gris marronosa, cabeza grande, orificios en vez de nariz, orejas, boca, sólo presentaban cuatro dedos y carecían de pelo. Dennis se carteó con la enfermera durante un tiempo, hasta que las cartas le retornaron con el sello de «difunta».

Las investigaciones de Friedman y Moore vieron la luz en el programa «Misterios sin resolver», en 1989. Más de 28 millones de estadounidenses descubrieron el caso que dio pábulo a un sinfín de artículos, libros y programas de televisión. El misterio Roswell estaba servido.

A partir de aquí surgieron grandes cantidades de informaciones, que no cuentan con tanta credibilidad entre los ufólogos como el caso Roswell. Se cree que en los días anteriores se avistó una flota de platillos volantes. Incluso se llegó a documentar hasta dos explosiones más, que también fueron ocultadas por el ejército. Existe una grabación en la que se supone que se le practica una autopsia a un extraterrestre. No se ha podido demostrar la autenticidad de esta cinta, y en cambio se han aportado bastantes pruebas para considerarla un engaño.

Es por eso que a partir de aquí, se han dado muchas explicaciones a estos sucesos. Unos creen que fue un simple accidente y que el gobierno de Estados Unidos aprovechó la ocasión para investigar. Otros, en cambio, consideran que tal vez se tratara de un ataque, que fue repelido en el último momento. Por último, también hay hipótesis que plantean la posibilidad de que se tratara de un encuentro pactado entre los norteamericanos y los seres de otra galaxia.

El enigma del *área 51*

Estrechamente relacionada con el caso Roswell nos encontramos la llamada *área 51*. Muchos creen que aquí tuvo lugar la autopsia. Se trataría de un espacio de alta seguridad en la base Nellis de la Fuerza Aérea, en Nevada, donde se realizaban las investigaciones más secretas. Dentro de este espacio existía un área aún más restringida, la S-4, que se destinaría al análisis de elementos extraterrestres que pudieran aplicarse para mejorar la tecnología humana.

Aunque es la más famosa, no es la única base secreta de este tipo, pues según los investigadores existen algunas similares en Carlsbad, Dátil, Dulce y Taos en Nuevo México; en Colorado Spring, Creed y Sandía en Colorado; en Chihuahua (México) y en otros lugares de Inglaterra, Francia y los territorios que formaban la antigua URSS.

Evidentemente, los ejércitos de estos países han negado siempre que en sus bases se hallen restos de tecnología extraterrena o que se realicen investigaciones de cualquier tipo relacionadas con este tema.

Otras teorías para un tema increíble

Los más escépticos nunca han admitido que Roswell demuestre la existencia de seres de otros planetas. Lo cierto es que el caso, al popularizarse, perdió credibilidad. Empezaron a aparecer teorías de todo tipo y acabó convirtiéndose en un circo. Con el tiempo, hizo más mal que bien a la investigación ufológica porque los farsantes se subieron al carro de los investigadores serios.

Por todo ello, empezaron a lanzarse teorías alternativas que no veían nada extraterrestre en lo ocurrido. Una de las más polémicas apuntaba que no eran seres pequeños, sino niños que habían sufrido mutaciones porque habían sido sometidos a bárbaros experimentos. Debemos tener en cuenta que estos hechos tuvieron lugar al final de la Segunda Guerra Mundial. Se sabe que Hitler experimentó con los reclusos de los campos de concentración, pero también hay varias teorías que apuntan que los norteamericanos hicieron lo propio en su campaña en el Pacífico. Se estaban empezando a conocer las consecuencias de la energía atómica y no resulta tan descabellado imaginar pruebas con humanos. Otra teoría similar afirma que se hicieron experimentos tal vez atómicos o de transporte de la materia en las áreas más desérticas de Nuevo México, y que la explosión pudo ser un «daño colateral» de las mismas.

Muchos detractores de la investigación extraterrestre atribuyen al gobierno cualquier acción que esté relacionada con los OVNIS. Creen que se trata de una cortina de humo para tapar investigaciones militares que suelen infringir los acuerdos internacionales.

29

¿Hubo naves surcando los cielos en el pasado?

Las llamadas «pistas de Nazca» son un conjunto de cientos de metros de dibujos, trazados diversos y figuras geométricas de diferentes tamaños que se hallan en el desierto del mismo nombre. Este mágico y aún hoy en día, inhóspito lugar peruano se encuentra situado en medio de un triángulo geográfico que formarían la capital Lima, el Machu Picchu y el lago Titicaca. Este páramo sudamericano cubre una extensión de 520 kilómetros, y en ellos se pueden contemplar enormes dibujos de animales y gigantescos diseños cuyo significado nadie ha podido descifrar. Están asimismo cerca de la propia ciudad de Nazca, que fue fundada por el Virrey español García Hurtado de Mendoza en 1595.

Pensadas para ser vistas desde el aire

El misterio principal que entrañan estas famosas pistas es que son formas que a simple vista no parecen haber sido diseñadas desde el suelo, sino desde una considerable altura aérea, pues su forma y disposición son casi perfectas. Todas estas líneas y figuras se trazaron raspando la parte superficial de tierra y dejando al descubierto una capa amarilla debajo.

Todas ellas carecen de los típicos fallos que se producirían al intentar trazar en la tierra un enorme dibujo, pues la perspectiva a ras de suelo impediría, sobre todo sin aparatos modernos de medición de la distancia, que se consiguiera una perfecta disposición de las proporciones de las partes del trazado. Por esta razón parecen obra de un gigante. Además, uno muy creativo y hábil, dueño de lo que sin duda sería un pincel tan grande, que pasaría automáticamente a ser poseedor del galardón del Premio Guiness...

Es lo que todavía trae locos a investigadores de toda condición: el método utilizado para realizar los perfectos dibujos. Así como es relativamente fácil trazar líneas rectas mediante postes en un terreno llano, mucho más complicado es obtener formas tan dispares y difíciles como un colibrí en vuelo, un mono con su cola enroscada o un lagarto. Pese a todo, está comprobado que líneas rectas de un dibujo de dos kilómetros se desvían menos de dos metros. Impresionante.

Entre todas las clases de dibujos se pueden ver una araña, una ballena, una serpiente, un mono y varias aves, además de los citados colibrí, y lagarto. Para hacerse una idea del tamaño de estos dibujos, decir que el lagarto mide más de 180 metros de longitud.

¿Geometría primitiva?

La opinión más generalizada sobre su datación es que todo el conjunto de las líneas de Nazca se realizaron progresivamente entre los años 300 a. C. y 900 d. C. y en dos etapas. La primera es la llamada «de representaciones animales y otras figuras», en la que la preferencia es trazar figuras de animales habitantes de la zona, con una intención que algunos han querido ver como teológica, representando la forma de algunos tótems o animales sagrados para los viracocha. Así, veneraban a los dioses de la naturaleza, algo que el hombre primitivo ha hecho desde el descubrimiento de los útiles, recreando, por ejemplo, escenas de la vida cotidiana o formas familiares de su entorno.

La segunda recibe el nombre de «trazado de líneas», y en ella, pese a que siguen realizándose representaciones de la fauna autóctona, se avanza hacia las figuras complejas, con una geometría que para nada puede ser casual. Éste es uno de los grandes misterios de Nazca y el que provoca la creación de multitud de teorías. ¿Cuál es la razón que provoca la recreación de formas totalmente imaginadas por el hombre y no representaciones de la realidad que le rodea?, y sobre todo, al ser imposible que todas sean casuales, ¿cuál es su significado? Si no evocan una forma conocida o veneran a un animal-tó-

Detalle de una de las pistas de Nazca en la que se puede apreciar la imagen gigantesca de una araña.

tem, como en todos los pueblos primitivos, ¿qué provoca su recreación gigantesca sobre la tierra?

¿Volaban los preincaincos?

Luis de Monzón, magistrado español de finales del siglo XVI, es autor de una de las escasas referencias a las líneas de Nazca, en las que indica que los indios ancianos hablaban de los viracocha, un pequeño grupo étnico de otro país, anterior a los incas. No se sabe de dónde venía este pueblo, pero en cuanto llegaron fueron tratados como dioses, por lo que algunos han deducido que podrían ser los míticos atlantes, o al menos los que habían sobrevivido al mítico hundimiento del continente perdido de la Atlántida. Siendo como se supone una civilización muy avanzada para su época, hubieran tenido la tecnología necesaria para crear, como así fue, vías de comunicación entre los diferentes asentamientos de población de la zona.

Algunos investigadores apuntan que los diseñadores de Nazca poseían alguna clase de artefacto volador que les hubiera permitido trazar esas líneas y dibujos de enorme tamaño sobre la superficie. Lo que nadie sabe es el propósito de tales obras de arte y sobre todo por qué es el único vestigio de su supuesto paso por esas tierras.

Por esta razón surgen las teorías que dicen que los Nazca habían desarrollado alguna manera de levantarse de la tierra mediante algún aparato volador del cual nunca se ha encontrado vestigio alguno.

¿Había globos antes del descubrimiento de América?

Alienígenas aparte –seguidamente hablaremos de ellos–, es cierto que se han encontrado en las tumbas nazca telas finísimas que podrían servir para confeccionar primitivos globos. Asimismo, muchos pozos artificiales han sido hallados en la zona, cuyo objetivo hubiera sido poder encender grandes fuegos para hinchar las telas de aire caliente y así poder elevar las supuestas aeronaves nazca. A tal efecto, en 1975 dos ingenieros se plantearon el reto de fabricar una primitiva aeronave sólo con los materiales de los que disponían los nazca.

Tras horas hinchando la tela a la que se había atado una estructura ligera de madera capaz de sostener a dos hombres de baja estatura, consiguieron despegar en un vuelo que recorrió 5 kilómetros antes de caer al suelo tras una ráfaga de aire, y ahí radica el problema. Sin ningún sistema de vuelo que permita pilotar la aeronave y mantenerla en un sitio desde el que se pueda dirigir el trazado hecho desde tierra, es casi imposible suponer que fuera el método utilizado para conseguir las perfectas líneas de Nazca, pero entonces, ¿cómo lo hicieron?

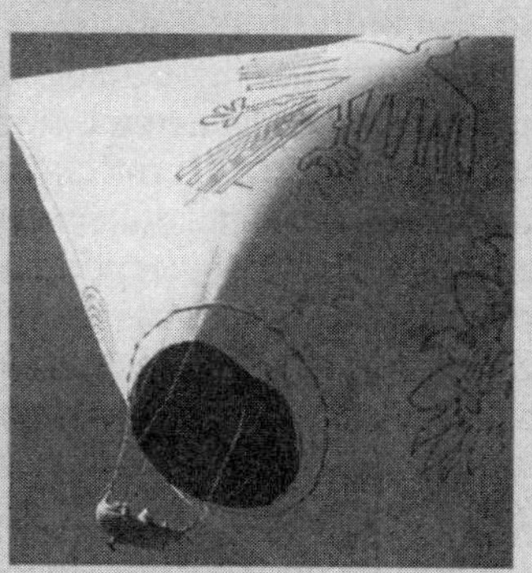

Un globo como este, construido siguiendo documentaciones precolombinas, pudo haber sobrevolado las pistas de nazca.

Ovnis, calendarios y heráldica

Cronistas españoles del siglo XVI y XVII narraron el fenómeno, pero a pesar de ello, las líneas han pasado inadvertidas durante siglos hasta que el arqueólogo peruano Luis Tello las examinó detalladamente en

1926. En los años 30 ya eran todo un espectáculo para los pilotos que las sobrevolaban y fue a partir de aquí, cuando pudieron ser vistas desde el aire, que el enigma tomó forma, pues, ¿cómo si no desde el aire podrían haberse trazado su perfecta geometría, formando esas figuras que no dejan lugar al error?

Desde luego los ufólogos apuntaron enseguida el posible origen extraterrestre de las líneas de Nazca. Pero unas marcas de naves alienígenas, por muy ligeras que fueran, seguramente dejarían una hendidura mayor al aterrizar, y en Nazca lo que existen son surcos que dejan entrever una tierra más amarilla que no está a nivel de superficie, de una profundidad de sólo centímetros. También se ha teorizado sobre su posible uso como marcas de tráfico aéreo para posibles visitantes del espacio exterior o incluso como gigantescas señales diseñadas para marcar un lugar de recogida, en este caso de sus misteriosos creadores, que habrían «llamado a casa» para que los vinieran a buscar después del fallido intento de establecerse en nuestro planeta por razones más allá de nuestro conocimiento.

Sin embargo, muchos investigadores apuestan por una teoría mucho más plausible: que las pistas de Nazca sirven para medir los movimientos de los astros, configurando un –literalmente– enorme calendario astronómico que servía a sus creadores para calcular el paso y llegada de las diversas estaciones del año, así como el movimiento de los cuerpos celestes. Lo que aún no sabemos, tanto tiempo después, es cómo funciona.

Otra teoría es la que dice que cada línea pertenecía a una familia o clan como símbolo de su unidad y poder dentro del conjunto de tribus o asentamientos, por lo que algunos miembros se dedicaban casi exclusivamente a su conservación. Así, las líneas más largas, rectángulos y trapecios corresponderían a comunidades enteras o a familias de rancio abolengo, que se ganaban su dibujo tras un periodo en que habrían regido el destino de sus súbditos. El hecho de haber descubierto, en algunos casos, que algunos dibujos han sido borrados al dibujar otros encima hace suponer que, o bien esa familia había caído en desgracia o todo lo contrario, que se habían ganado el derecho de redibujar su heráldica al triunfar de nuevo social, política o militarmente, engrandeciendo su gloria con un dibujo mayor que el anterior. De igual manera, esto demostraría que esa civilización habría desarrollado una estructura más compleja que cualquiera de sus contemporáneas en cualquier parte del mundo.

Todo un enigma que parece no tener solución, al menos por el momento.

30

Machu Picchu: la ciudad inca del misterio

Se trata de una de las ciudades más misteriosas que cualquier viajero puede visitar. Todo lo que rodea a esta espléndida obra inca es un enigma. ¿Cómo pudo construirse una obra así en una época lejana? ¿Qué ocurrió para que todos sus habitantes abandonaran la ciudad como si hubieran sido borrados de un plumazo de aquel entorno paradisíaco? Las construcciones de Machu Picchu guardan celosamente este secreto. Hasta ahora nadie ha podido revelarlo. Pero muchos se han acercado.

De repente, una joya arquitectónica

La ciudadela de Machu Picchu permaneció oculta durante cuatro siglos, hasta que Hiram Bingham la descubrió en 1911. Tuvo que liberarla de la vegetación que la había cubierto durante tanto tiempo y que literalmente la había enterrado entre sus ramas y hojas.

Lo primero que llama la atención de esta construcción es la enormidad de la misma. Su colosal aspecto nos habla de un conocimiento arquitectónico muy elevado, que difícilmente tenían otras civilizaciones contemporáneas a ésta. El estilo de sus construcciones es inconfundiblemente inca, pero sus orígenes siguen siendo un misterio.

Algunas casas de la ciudadela de Machu Picchu.

Su emplazamiento rocoso hizo que la arquitectura de este enigmático pueblo se adaptara a las circunstancias del entorno. La mayoría de las casas eran de construcción sencilla, de una sola planta con forma trapezoidal, adaptándose a las líneas del terreno.

Los arqueólogos coinciden en que Machu Picchu no era un centro urbano, sino más bien el centro sagrado de los incas. Se componía de una increíble variedad de templos, palacios y miradores u observatorios. Es probable que fuera un lugar reservado para los sacerdotes y para las clases más poderosas. Una de las joyas de la ciudad es la Intihuatana o piedra sagrada. Se trata de una pequeña pirámide allanada en cuyo centro se encuentra un gran reloj de sol, tallado en piedra, de una belleza espectacular.

Éste era el lugar desde el que la clase sacerdotal podía controlar el movimiento de los astros y hacer sus predicciones, pero aún hay algo más sorprendente: contiene un altar con un pilar de piedra. En el solsticio de verano este altar se alinea con el sol. ¿Cómo podían tener tal precisión para situar en ese lugar el altar? Se cree que se empleaba para hacer ofrendas al dios del sol, Inti, al que adoraban por ser el que simbolizaba la vida nueva y la fertilidad. Por ello, seguramente, escogieron el lugar donde mejor se le podía honrar.

Todo ello nos hace preguntarnos quién construyó esta maravilla de la arquitectura. Los incas no conocían la rueda ni la escritura y, sin embargo, crearon un imperio que se extendía a lo largo de 3.680 Km. Este dato, de por sí, ya es bastante sorprendente, pero cualquier viajero que contemple Machu Picchu no comprenderá cómo se pudo elevar una ciudad de esas características en un lugar tan intrincado.

Existen varias teorías al respecto. Algunos piensan que tuvieron contactos con seres de otros mundos que les trasfirieron un conocimiento superior. Otros consideran que entre los egipcios y los incas hubo un gran intercambio de conocimientos, aunque no pueden explicar cómo dos civilizaciones tan lejanas tuvieron contacto. Lo cierto es que pese a todos los avances arqueológicos todavía nadie ha podido desentrañar el misterio de esta bella y misteriosa ciudad inca.

¿Por qué fue abandonada la ciudad?

Pese a la belleza de la ciudad, su esplendor fue más bien corto, apenas 134 años: entre 1438 y 1572. Cuando Bingham descubrió entre la espesa vegetación esta ciudad magnífica, se dio cuenta de que no eran unas ruinas cualquiera. Descubrió numerosos objetos de piedra, bronce y cerámica, pero nada de oro o plata. Pero se cree que debieron existir innumerables tesoros. Era la ciudad más rica, más religiosa, más querida por el imperio inca. Además estaba en una situación muy protegida que permitía que allí se pudieran guardar grandes tesoros sin temor a que fueran arrebatados por el enemigo.

No es probable que los españoles se llevaran nada porque nunca llegaron hasta Machu Picchu. El abandono tuvo lugar un poco antes de que los conquistadores llegaran a esa zona tan apartada.

Se sabe que las diversas tribus que habitaban la zona se enfrentaban a menudo provocando sangrientas guerras que se saldaban con el genocidio del perdedor. Pero en estos casos los arqueólogos suelen encontrar pruebas materiales. Además, lo más normal en un caso así hubiera sido que los invasores se quedaran con la ciudad.

Otra teoría indica que las epidemias eran bastante frecuentes y una de ellas podría haber acabado con toda su población. Hiram Bingham encontró el esqueleto de una mujer que murió de sífilis y desde hace pocos años se están realizando análisis científicos de otros cadáveres encontrados en Machu Picchu que podrían arrojar alguna luz sobre la misteriosa desaparición de los pobladores más enigmáticos del sur de América. De todos modos, los arqueólogos creen que ya se habrían encontrado pruebas de este fatídico final.

Otra teoría apunta a que un sacerdote novicio violó a una de las sagradas *ajllas* o vírgenes del sol. Este hecho, según las costumbres de esta civilización, descritas detalladamente por el inca Garcilaso de la Vega, era motivo de pena de muerte no sólo para el violador, sino para todo su entorno: familiares, vecinos, sirvientes y habitantes de la ciudad. No quedaría nadie.

También hay teorías más imaginativas que hablan de un posible viaje en el tiempo. Se han encontrado pinturas precolombinas en las que se

Un santuario inexpugnable

El santuario histórico de Machu Picchu se ubica al noroeste occidental de Cuzco, a 112 kilómetros de la ciudad, en el cerro del mismo nombre. La ciudadela está enclavada sobre una montaña con grandes precipicios a los lados, lo que debió ser una magnífica defensa natural frente a posibles enemigos del pueblo inca, que eran constantemente atacados por sus enemigos. No es de extrañar que construyeran una de sus joyas en un lugar tan inaccesible.

representa algo muy parecido a las naves espaciales que conocemos hoy en día. Algunos grabados insinúan la posibilidad de que pudieran viajar a través del tiempo. Viendo los tristes momentos que se avecinaban con la conquista, podrían haber decidido buscar una época más tranquila.

De todos modos, son especulaciones. La pregunta sigue abierta: ¿por qué los incas abandonaron la ciudad que tanto les había costado construir?

31

Las piedras de Ica: ¿sabiduría de otra civilización?

El enigma de las piedras de Ica ha estado desde su origen rodeado por la polémica, por no decir asediado. Su sola mención despierta en todos los que se han acercado a él apasionadas discusiones que no admiten matices: o se trata de un fraude monumental o es uno de los mayores descubrimientos que el hombre ha realizado jamás.

El descubrimiento

Un misterio de este calibre merecía, cómo no, un inicio cuanto menos curioso. Todo empieza en 1966, cuando a las manos del doctor Javier Cabrera, habitante del pueblo peruano de Ica, llega una piedra de forma oval, de color negruzco y aristas redondeadas que lleva grabada en una de sus caras la imagen de un extraño pez. Su peso era mayor del que, a primera vista, correspondía a su tamaño. Quién y por qué llevó la piedra al doctor es también objeto de polémica, pero lo importante es que fue a parar a su mesa como pisapapeles. Se dice que el hecho de tenerla a la vista cada vez que se sentaba en su escritorio le llevó a evocar un momento de su infancia en el que encontró una piedra similar en la finca de su padre después de que una máquina de perforación la expulsara a la superficie. Los obreros que realizaban el trabajo le dijeron que era una piedra de los incas. Fue así como Cabrera decidió averiguar de dónde había salido su nuevo pisapapeles, pues era evidente que no era una obra de alfarería realizada recientemente, pues su aspecto era muy antiguo.

Su búsqueda le llevó a la casa de un *huaquero*, que es como llaman en Perú a los buscadores clandestinos de antigüedades que luego venden las piezas al mejor postor, saqueando así un patrimonio que pertenece a la humanidad.

A partir de este momento Cabrera dedicó su vida a intentar desentrañar el misterio que el destino le brindó.

Una humanidad prehumana

Los primeros análisis sobre las piedras empezaron a complicar las cosas, pues son de un material difícil de datar con exactitud. Geológicamente, son andesitas, unas piedras teóricamente formadas en el periodo terciario, pero lo interesante es que los grabados son también de esa lejana época.

Si tenemos en cuenta que el hombre aparece en el cuaternario, tras la extinción de los grandes saurios, tenemos ante nosotros un misterio fascinante que lleva a preguntarnos si ciertamente tuvimos antepasados mucho antes de lo que sabemos y cuyo legado nos ha llegado en forma de grabados sobre piedra que certifican su paso por este planeta mucho antes que siquiera nos desplazáramos sobre cuatro patas y nos subiéramos a los árboles.

Lo que sustenta esta teoría, además de la datación de las piedras, son los motivos grabados en ellas. De entre las más de 15.000 halladas hasta la fecha podemos encontrar multitud de representaciones de animales como peces, aves, insectos y diversos mamíferos. Hasta aquí, nada que el hombre no haya hecho aunque sea mucho después. Pero también encontramos lo que sin duda parecen grandes saurios, animales con los que nuestra especie no llegó a convivir según todas las teorías al respecto, y aún más enigmático: escenas de figuras humanoides domesticando a esos dinosaurios, y la cosa se pone todavía más interesante.

Las piedras detallan un conocimiento superior

Según la interpretación de Cabrera, hay gran cantidad de dibujos que representan trasplantes de órganos y escenas que sólo podemos con-

El doctor Cabrera, descubridor de las piedras de Ica.

cebir en un quirófano a partir de finales del pasado siglo. En algunos casos trasplantes incluso de cerebro...

El doctor también asegura que las piedras muestran diversas formas de anestesia con gas y acupuntura, entre otras representaciones de técnicas harto complicadas aún en nuestros días.

Otras escenas que se pueden encontrar en los grabados son hombres que miran las estrellas con catalejos, que observan fósiles con lupas, mapas de las estrellas y mapas de nuestro planeta tal como era hace unos 13 millones de años.

¿Qué sabían los incas?

Cabrera bautizó a las piedras con el nombre de «gliptolitos», y a sus creadores, «humanidad gliptolítica». Afirma que esa pre-humanidad fue creada por extraterrestres que llegaron a la Tierra en esa era. Al no encontrar vida inteligente, decidieron crearla a partir de un primate emparentado con el lemur, llamado *notharcus*, que se extinguió hace 50 millones de años. Esta humanidad gliptolítica decidió fijar sus conocimientos en piedra para que perduraran en el tiempo. No sabemos por qué o cómo esa raza superior dejó el planeta, pero se apunta la posibilidad de que no pudieran prever la extinción de su creación con la llegada de la era glacial. Uno de los primeros pueblos en descubrir las piedras y aprovechar las enseñanzas que se supone transmiten fueron los incas.

De ahí supondrían los teóricos las increíbles técnicas y progresos de los incas en el campo de la medicina, arquitectura, tecnología, etc., que les hicieron ser una civilización muy avanzada a su época. Aprendieron de los gliptolitos. Pero los discípulos nunca superaron

Protegiendo las piedras

Se cree que los incas conocían la importancia de estas piedras, aunque no pudieran descifrarlas en su totalidad. Por ello, las quisieron proteger. Para impedir que las inundaciones del Ica las erosionaran, construyeron una acequia que canalizaba el caudaloso río. Éste es un hecho comprobado, que se convirtió en leyenda. En Perú todavía se llama la acequia de Achirana. La historia popular explica que Achirana era una princesa bellísima. Un inca se enamoró de ella y construyó la acequia para ser aceptado por la tribu y conquistar el corazón de su amada. Sorprendentemente, esta acequia nunca sirvió para crear tierras de cultivo, por lo que su finalidad no podía ser otra que preservar las piedras.

al maestro, y parte del espléndido conocimiento que hubo en la Tierra se perdió inexorablemente.

¿Se tambalea la teoría de la evolución?

Si se confirmara que las piedras de Ica son auténticas y que pertenecen al terciario, toda la teoría de la evolución, tal y como la conocemos hoy en día, se vendría abajo. Pero ¿no se habrían encontrado alguna otra evidencia? Lo más lógico es suponer que sí y algunos creen que así ha sido, aunque nunca se le ha dado demasiada importancia a este tipo de pruebas. En el siglo XIX, en Argentina se encontraron restos humanos en unas excavaciones que pertenecían al terciario. Nadie hizo demasiado caso de esas evidencias. Lo mismo ocurrió con otro hallazgo en Colombia: se encontraron restos de un animal antediluviano mezclados con los de un Neandertal. Todos estos descubrimientos nada tienen que ver con la teoría extraterrestre del doctor Cabrera, pero lo cierto es que crean razonables dudas científicas sobre la presencia del hombre en nuestro planeta.

El doctor Cabrera expone una prueba a sus ojos irrefutable: existe una piedra con el mapa del mundo tal y como era en el periodo terciario. La distribución era completamente diferente a la actual y aparecen los supuestamente desaparecidos continentes de Lemuria y la Atlántida. Hasta finales del siglo XIX no se supo a ciencia cierta qué perfil tenía la Tierra en esos momentos. ¿Cómo podían estas vetustas piedras presentar un mapa tan concreto? La única explicación es que hubieran tenido una vista aérea de la Tierra, algo que no se consiguió hasta miles de años después.

¿Es todo un fraude?

Todo este tipo de historias suele generar desconfianza, sobre todo cuando el protagonismo recae sobre una sola persona. Pero en este caso no es exactamente así. El doctor Cabrera no es el único que ha dado con este tipo de piedras, aunque haya sido el que se ha consagrado a su estudio.

En total hay 40.000 piedras de este tipo catalogadas y, evidentemente, no todas pertenecen a Cabrera. Muchos estudiosos han encontrado también «icas», y un buen número de ellos también ha publicado estudios sobre este misterio.

El problema básico es que la ciencia nunca se lo ha tomado en serio y por ello no hay análisis rigurosos que afirmen o desmientan las prodigiosas teorías que nos revelan estas piedras. De hacerse, los principios de la evolución podrían ponerse en entredicho o, tal vez, se constatara que se trata de un simple fraude.

32

Stonehenge: el observatorio de los gigantes

Nadie sabe exactamente quién las construyó. Las leyendas aseguran que fueron gigantes, extraterrestres e incluso el mago Merlín. Otros prefieren ver en ellas un santuario estelar, fruto de una religión ancestral.

Situados en la campiña de Wiltshire, en el corazón de la Inglaterra meridional, los monolitos de 26 toneladas y más de cinco metros de alto están rodeados por una zanja circular, dentro de la cual también hay un círculo con los 56 orificios de Aubrey, como se los conoce actualmente. Los dinteles que dominan actualmente las piedras verticales fueron tallados y encastrados de una forma perfecta mediante articulaciones esféricas.

La intervención del mago Merlín

Cuenta una de las leyendas que fue Merlín quien trasladó con su magia los enormes monolitos desde Irlanda. En aquel tiempo, el terrible líder de Saxon, Hengest, masacró a 300 nobles Británicos. El Gran Rey Aurelius Ambrosius (antepasado de los reyes Uther y de Arturo), quiso erigir un monumento a los nobles. Entonces Merlín sugirió traer a tierras británicas el Anillo del Gigante (como era llamado Stonehenge), que entonces se encontraba en Irlanda. Merlín y Uther partieron junto con una expedición hacia aquel país. Llegaron al monte Killaraus, donde estaba situado el monumento cuyas piedras habían sido traídas desde África por gigantes. Los hombres de la expedición británica fracasaron en su intento de mover los enormes monolitos, así que Merlín los envió de vuelta a casa.

Una vez solo, utilizó su magia para trasportar las piedras, las cuales fueron colocadas en círculos alrededor de la tumba común de los nobles británicos. Según Geoffrey de Monmouth, escritor del siglo XII, fue así como se originó Stonehenge.

¿Una construcción de los iberos?

Los hiperbóreos, de quienes se dice que en realidad podrían haber sido los iberos, se supone que emigraron por la costa atlántica a Inglaterra e Irlanda, donde levantaron el magnífico círculo de piedras. El historiador Diodoro de Sicilia (siglo I a. C.) habla de un lugar que podría ser Stonehenge. Describe un magnífico templo dedicado a Apolo situado en una isla, y dice: «[...] los encargados son llamados boreades [...] el dios visita la isla cada 19 años, periodo durante el cual las estrellas vuelven a estar en el mismo lugar en el cielo.»

¿Qué es Stonehenge?

La teoría más difundida apunta que es una primitiva pero extremadamente exacta calculadora de movimientos astrológicos. Fue Gerald Hawkins, profesor de astronomía de Cambridge quien con un ordenador estudió la situación de los monolitos y su alineación con el Sol y la Luna tal y como estaban hace 3.500 años. La conclusión es que los monolitos tienen líneas de mira que permiten calcular fenómenos celestes con una extraordinaria precisión. Así, los antiguos habitantes de estas tierras podrían predecir los eclipses, establecer calendarios y seguir los movimientos celestes con intenciones religiosas.

Está comprobado que el Sol realmente cae sobre el altar central durante el solsticio de verano. Sólo lo hace ese día del año de forma tan exacta. John Michell, experto británico en esoterismo, sostiene la teoría de que Stonehenge era «un templo cósmico dedicado a los doce dioses del zodíaco, que representa la cosmología ideal, la imagen perfecta y completa del Universo».

Detalle de la gigantesca construcción de Stonehenge, edificación cuyo uso todavía se desconoce.

¿Posee fuerzas misteriosas?

Los antiguos habitantes de la isla creían que las piedras poseían poderes curativos que podían transmitirse al agua y sanar a los enfermos.

La disposición en círculo también tiene un significado esotérico u oculto. El círculo ha representado siempre un espacio de protección, mientras que el anillo ha sido un símbolo de poder. El círculo es un espacio que separa lo sagrado de lo profano. Lo que hay dentro es para venerar, y lo que queda fuera es para desechar.

Además, Stonehenge cuenta con dos hileras de piedras dispuestas en forma de herradura, que simbolizan a la luna menguante. Sol y Luna representan poder.

Una obra increíble

Los monolitos de Stonehenge se levantan en el interior de dos círculos: uno es una zanja de 4 metros de ancho por 1,5 de profundidad, con un diámetro de 104 metros. Le sigue un anillo conformado por 56 agujeros, llamados agujeros de Aubrey, y deben su nombre a uno de los primeros exploradores que investigaron el emplazamiento en 1650. Estos agujeros están llenos de osamentas quemadas, por lo que se cree que, en un tiempo, Stonehenge fue también un lugar de ritos fúnebres y estos orificios representaban las entradas al más allá.

La mitad de las piedras están en el suelo o han desaparecido, pero si pudiéramos ver cómo era Stonehenge hace 4.000 años, veríamos lo siguiente: un círculo de monolitos unidos por un dintel continuo, de unos 5 metros de alto. Dentro de este círculo, otro de piedras azules que encierra dos herraduras: una formada por cinco trilitos y otra de piedras azules. En medio, estaría la Piedra del Altar.

La piedra del Talón se encuentra fuera, y se cree que desempeña un papel relevante en el amanecer del solsticio de verano. También marca el principio de la Avenida, pasillo procesional que llevaba hasta el monumento. Finalmente, la Piedra del Sacrificio, que originalmente debió estar erguida, se encuentra próxima al acceso a la Avenida.

¿Cómo se construyó?

Debido a su cercanía con el río Avon, los científicos creen que los hombres del Neolítico que realizaron la construcción de Stonehenge, llevaron las piedras por vía fluvial. Las 80 piedras azules habrían sido trasladadas en balsas desde las montañas Precelly (situadas a unos 320 Km al suroeste de Gales) y a lo largo de la costa galesa, entrando por el canal de Bristol y remontando el río Avon. Al llegar a tierra, habrían sido movidas por un sistema de rodillos hasta su actual emplazamiento.

A pesar de ello, debemos plantearnos el hecho de que el peso de las piedras van de las 4 a las 26 toneladas cada una... Las piedras gigantes que forman el círculo exterior pesan unas 50 toneladas, y se cree que fueron llevadas desde Malborough Downs, es decir, desde unas 20 millas al norte.

Estudios recientes afirman que se habrían necesitado unos 600 hombres para mover las piedras, sobre todo para pasar la parte más inclinada del terreno, la colina de Redhorn. Todo ello pasaba en el año 3.500 a. C. Sin duda, una hazaña difícil de creer... El misterio continua.

33

La insólita isla de Pascua

¿De dónde procedían los habitantes de la isla de Pascua? ¿Cómo pudo una población primitiva construir aquellos enormes monolitos? ¿Por qué llevaban unos extraños sombreros que ningún habitante utilizaba?

Nadie puede responder a estas preguntas. Es que los únicos que podrían hacerlo serían sus habitantes, pero en el siglo XVII empezaron una serie de guerras civiles causadas por la falta de madera y alimentos que provocó el declive de una de las civilizaciones más interesantes que ha habitado este planeta. Un siglo después, muchos de sus habitantes fueron secuestrados por los negreros y obligados a trabajar como esclavos en las minas peruanas. Pocos pudieron regresar a su lugar de origen y los que lo hicieron llevaban consigo enfermedades desconocidas como la lepra y la viruela. Nadie puede dar ya respuesta a los enigmas que rodean a la isla de Pascua.

¿De dónde salió la tecnología constructora?

Cuando en el año 1722 llegaron los primeros colonizadores holandeses a Pascua encontraron una tribu que vivía en casas de madera con precarios techos de vegetación y utilizaba primitivos utensilios de piedra. Desde la costa, las imponentes estatuas habían sugerido la presencia de una civilización mucho más avanzada. Es probable que

Los impresionantes moais de la isla de Pascua reflejan una tecnología superior que, sin embargo, se desconoce de dónde pudo salir.

la razón de esta pérdida de conocimientos fueran los megalitos que han hecho célebre la isla. La madera necesaria para levantar estos monumentos fúnebres agotó la materia prima para construir canoas y casas. Además, la deforestación empobreció la tierra por lo que las hambrunas dividieron a la población y la sumieron en una cruenta guerra civil.

Una curiosa población

Varios arqueólogos sostienen que los lapitas, procedentes de Nueva Guinea se asentaron en las islas Fiji, unos mil años antes de J. C. Sus habilidades como navegantes, que les permitían orientarse por las estrellas, les permitió llegar hasta Tonga y Samoa. 400 años después, sus navegantes se dirigieron hacia el oeste, buscando las islas situadas «por encima del viento». Probablemente, hacia el 389 d. C., el hijo de un caudillo de las islas Tuatomu, tras una disputa, se hizo a la mar con un grupo de fieles seguidores. Finalmente, después de muchos avatares, llegó a Te Pito o Te Henua, que en su lengua significa «el ombligo del mundo», también llamada Rapa Nui o Mata Kiterage (los ojos que miran al cielo). Es lo que hoy conocemos como Isla de Pascua.

Moais: dioses u hombres

Todavía no se ha aclarado la utilidad de los *ahu,* que es el nombre que reciben en el lenguaje aborigen estas esculturas que intrigan al mundo y que llamamos moais. Está claro que su función era funeraria y que entraba dentro del culto a los antepasados. Parece ser que el cadáver se dejaba junto al *ahu* hasta que los pájaros y el viento limpiaban de carne el esqueleto. Hasta ese momento, el lugar era tabú, pero una vez sólo quedaban los huesos, se enterraban dentro del *ahu* y se celebraba una gran fiesta en honor del difunto. Lo que aún se desconoce es cuáles eran los requisitos para ser enterrado con tal honor. Es posible que tan sólo lo hicieran con los jefes del clan, ya que la mayoría incluía la palabra *ariki,* que significa dios o rey.

¿Cómo se construyeron los moais?

Las sucesivas guerras producidas en la isla de Pascua dejaron a medias buena parte de las estatuas que se construyeron, lo que ha aportado algunos interesentes datos sobre la técnica utilizada para esculpirlas. Las esculturas prácticamente se acababan en la misma cantera. Con herramientas de piedra se realizaban tallas que servían para modelar los rasgos laterales y frontales de la cabeza. Finalmente, la estatua quedaba tan sólo unida a la cantera por una delgada franja.

¿Cómo transportaban aquella enorme escultura por toda la isla? No existían vehículos de ruedas y a este enigma se le añade la dificultad de que, una vez llegaban al lugar elegido, cómo elevar el megalito. Es probable que se colocaran sobre troncos de madera y fueran trasladadas por hombres que tiraban de ellas. Una rampa podría ser la solución para ponerlas en pie. Según se ha calculado, si ésa hubiera sido la técnica se habrían necesitado 30 hombres durante un año para tallarlas y 90 hombres durante cinco meses para arrastrarla desde la cantera hasta el ahu y ponerla de pie. En la isla se hallaron 600 estatuas y 450 ya estaban en el lugar elegido cuando se suspendieron los trabajos.

Ésta es una de las teorías que más credibilidad ha adquirido últimamente entre la arqueología ortodoxa. Aunque sigue presentando lagunas. No se han encontrado las estructuras que trasportaban las totémicas esculturas ni las rampas que servirían para alzarlas. También resulta difícil que todo un pueblo preocupado por la supervivencia se empecinara en esta costosa construcción.

Las teorías alternativas apuntan que tal vez esta civilización estaba mucho más avanzada de lo que parecía. De hecho, algunos escritos señalan que fue la única zona que no sucumbió al diluvio universal, por lo que podía haber almacenado una sabiduría muy superior a la de sus contemporáneos. Las razones de la destrucción de esta cultura siguen siendo uno de los enigmas sin resolver.

Otro enigma: el misterio de la escritura

En el siglo XIX, se hallaron unas tablillas en rongorongo, unos complicados glifos que hasta ahora constituían otro de los misterios de Pascua. El especialista norteamericano Steven Fisher, antropólogo y experto en lenguas del pacífico publicó en *New Scientist* un estudio en el que revela que el rongorongo significa canto o letanía. Esta lengua escrita está formada por una serie de jeroglíficos, con una base de 120 elementos estilizados que representan criaturas y objetivos y que combinándose formen entre 1.500 y 2.000 glifos o ideogramas.

Actualmente, en diferentes museos del mundo, sólo se conservan 25 tablillas con este intrincado lenguaje. Fisher las analizó casi todas y llegó a la conclusión que utilizaban un sufijo, que era la representación estilizada de un falo. Según las creencias de los nativos, el mundo se había creado a través de una cópula gigante, por lo que se utilizaba este símbolo en todos los escritos.

Siguiendo las directrices de Fisher se están revelando los misterios ocultos en estas tablillas. El problema es que los vestigios más antiguos conservados datan del siglo XVIII, por lo que será difícil que aporten algo de información sobre el origen de esta mítica civilización, que sigue siendo un misterio.

34

No deberían estar ahí: objetos fuera de lugar

Cada objeto, cada herramienta, cada invento tiene una historia, y ésta viene determinada por su origen, ahora bien, ¿qué pasa cuando los hallazgos demuestran que en realidad la historia está equivocada?

El dedal de Eva

En 1880, un ranchero de Colorado acude a las inmediaciones de una mina de carbón para recoger unos pedazos que tiene la intención de utilizar en la chimenea de su casa. El carbón que está amontonado en una ladera se extrae habitualmente de una veta que se encuentra a unos 90 metros de profundidad.

El granjero, una vez tiene la carga que considera necesaria, llega a su casa y comienza a partir los pedazos para hacerlos más manejables. En uno de ellos encuentra un pedazo de metal. Para ser más concretos, un dedal de hierro.

Si el hecho hubiera acontecido en nuestros días y el carbón fuera del embolsado que podemos encontrar en cualquier supermercado, quizá podríamos tener una explicación lógica, pero ¿qué hacía esa pieza de hierro en un pedazo de carbón de hace unos sesenta millones de años? Las investigaciones no llegaron a nada concluyente, pero la curiosa pieza pasó a la historia como el dedal de Eva.

El clavo prehistórico

En 1884, junto a un bloque de piedra de unos 60 centímetros que procedía de una cantera de Escocia, aparece un extraño objeto que parece estar insertado en la tierra. Tras limpiar el lugar se observa con claridad que se trata de un clavo. Un grupo de expertos extrajo la curiosa pieza con sumo cuidado. El clavo cuya cabeza semejaba bastante a los actuales, tenía un cuerpo puntiagudo de unos tres centímetros, de los cuales la mitad estaba insertado en la tierra. ¿Qué hacía un clavo en un yacimiento rocoso que se había formado hacía sesenta millones de años?

El cubo de Salzburgo

Era el año 1885, un trabajador de la fundición estaba rompiendo trozos de carbón en Wolfsegg, Austria, cuando de pronto en el interior de uno encontró algo parecido a un cubo puesto que estaba ligeramente deformado. La pieza era de hierro.

Al observar la pieza con detenimiento, los analistas observaron que de sus seis caras, cuatro eran sospechosamente rectas y perfectas, mientras que las otras dos, que eran las que estaban situadas en lugares opuestos, eran convexas. De nuevo salía el enigma: ¿quién había puesto allí aquel objeto?, y lo mejor de todo, ¿quién estaba en dicho lugar tantos millones de años atrás? Los análisis reflejaron que el cubo no contenía níquel ni cromo o cobalto, descartándose así que se tratase de los restos de un meteorito que al entrar en la atmósfera e impactar con la tierra había adoptado la singular y caprichosa forma de un cubo. Si no procedía del espacio exterior, ¿quién lo forjó? La pieza acabó en un museo austriaco, pero el enigma todavía continúa.

¿Otras civilizaciones o saltos en el tiempo?

Casos como los anteriores no tienen explicación. Debemos dejar una puerta abierta el fraude, pero no podemos pasar por alto ciertas evidencias que nos dan que pensar. Lo mejor de todo ocurre cuando los

Esos elementos fuera de lugar

- 1831 – La publicación *American Journal of Science* publica la noticia de que ha sido extraído un gran bloque de mármol de la tierra a una profundidad de 18 metros y cortado en láminas. En uno de los cortes se observa una pequeña incisión de 4 por 1,5 centímetros, en la que se aprecian las letras «i» y «u». ¿Quién había escrito aquellas letras millones de años atrás?.
- 1937 – Tras la combustión, en una chimenea, de varias masas de carbón, aparece entre las cenizas una cuchara. ¿Quién la introdujo en el carbón hace millones de años?
- En el lecho del río Paluxy, en Texas, se hallaron unas huellas fósiles de dinosaurio. Los científicos aseguran que todavía hay muchas especies de dinosaurios por descubrir, sin embargo, junto a las huellas mencionadas y datadas en una fecha similar, se encontraron otras que parecían humanas. Las pisadas se corresponderían a un bípedo y tenían forma humanoide. ¿Un antepasado nuestro?, ¿un ser simiesco en la era de los dinosaurios?

objetos pueden verse y tocarse. No se trata de leyendas, ni de crónicas que alguien cuenta, sino de objetos que se encuentran fuera de su espacio y del tiempo.

Lo normal es pensar en un engaño, sin embargo, algunos investigadores apuestan por defender la teoría de que la humanidad es más antigua de lo que aceptamos y que, posiblemente, sobre nuestro planeta ha habido más de una civilización que, como los dinosaurios, pudiera haber terminado luego de una gran catástrofe cósmica.

Otros investigadores de lo oculto, en este caso los defensores de la existencia de la fenomenología paranormal, indican que en realidad estos utensilios son lo que llaman «aportes», es decir, objetos que saltan las barreras espacio-temporales por motivos que se desconocen, y que quedan atrapados en tiempos anteriores al suyo.

Según el parapsicólogo y escritor experto en el fenómeno de los aportes Horacio Madariaga, «un reloj de principios del siglo XXI salta en el tiempo, viaja al pasado y queda atrapado en un cataclismo de hace sesenta millones de años. Eso explicaría que se encontrase en un bloque de carbón dentro de diez años».

La teoría de Madariaga es que hay objetos que rompen las barreras del espacio y el tiempo. No sabemos qué produce dicho viaje pero sí se ha podido comprobar que en algunos casos de fenomenología paranormal, como cuando acontecen los poltergeist, a veces aparecen utensilios y objetos de la nada. Se materializan como por arte de magia. ¿De dónde vienen? Nadie lo sabe. ¿De qué tiempo son? Lo curioso es que casi siempre anteriores a la fecha en que se produce el fenómeno. Por el momento no hay una casuística que demuestra la aparición de un cuchillo de sílex en un poltergeist del siglo XX, pero sí que han aparecido joyas, anillos, pulseras y hasta prendas de ropa de los siglos XVIII o XIX.

¿Qué armas tenían en la prehistoria?

Hasta el momento, y siempre de una forma oficial, se ha aceptado que nuestros antepasados más remotos disponían de cuchillos de sílex, lanzas con punta de piedra tallada y más modernamente flechas, pero lo que no aparece en el catálogo armamentístico son pistolas.

En 1921 el British Museum de Londres recibió un curioso cráneo. Era humano y lo habían hallado los trabajadores de una mina de cinc en Zambia. El resto arqueológico se encontraba en una colina en la que había una galería que conectaba con una cueva en la que había numerosos restos humanos. A primera vista se trataba de una necrópolis prehistórica.

La primera sorpresa acontece cuando uno de los cráneos hallados posee morfología neandertal, pero se le data una antigüedad que ronda el millón de años. Los neandertales poblaron el planeta no hace más de 120.000 años. El segundo dato curioso es que a ambos lados del cráneo había un orificio. Los dos eran del mismo diámetro. Según el profesor Mair, de Berlín, parecían los orificios de entrada y salida de una bala. Los científicos no pudieron determinar ni quién fue aquel hombre ni qué hacían allí aquellos agujeros tan sospechosos.

Sin embargo, las cosas no acaban aquí. El caso mencionado podría ser simplemente una curiosidad, sin embargo, en una localidad cercana a Barcelona, en la cueva del Toll, se encontró un cráneo que pertenecía a un Cromagnon. Los estudios que se hicieron del hallazgo dieron como resultado que aquel ser medía alrededor de 1,70 metros de altura y que podía haber llegado a los cincuenta años de edad. La singularidad estaba en que en la frente del cráneo tenía una curiosa perforación. Su forma es completamente circular, exactamente igual a la que produciría una bala moderna.

La bala no se encontró. Tampoco había orificio de salida en el cráneo. La hipótesis es que aquel orificio tan perfecto fuera realizado en realidad con el objeto de efectuar una trepanación ritual... ¿con tanta precisión? La otra curiosidad es que se cree que el individuo pudo sobrevivir a la herida o al balazo, según sea el caso, ya que los bordes del orificio presentaban callosidades óseas. Volviendo al caso de la trepanación, es cierto que se han dado algunos casos según muestran los hallazgos de restos humanos, sin embargo, dicha acción siempre suele ser lateral, es decir, se practica el agujero en los parietales; además, los orificios que deja siempre suelen ser más imperfectos y mayores.

35

La tecnología del futuro en el ayer

Programación automatizada e incluso a distancia, prótesis biónicas, implantes robotizados e inteligentes. La ciencia ficción cada vez lo es menos y forma parte de la realidad. Nos ha costado bastantes siglos alcanzar el nivel tecnológico que tenemos en la actualidad, pero los robots no son cosas del futuro, sino del pasado.

En el año 500 antes de nuestra era, King-su Tse, en China, inventó distintos artilugios de entretenimiento. Entre ellos había una urraca de madera y bambú que podía volar, así como un pequeño caballo de madera que podía saltar. Si todo ello nos parece sorprendente, no lo es menos que hace más de 2.000 años, en el 206 a. C., también en China existiera toda una orquesta de muñecos que tocaban distintos instrumentos musicales. Estas complejas robóticas pertenecían al tesoro de Chin Shih Hueng Ti, que consistía en una orquesta mecánica de muñecos. Otros inventos chinos resaltables son: un carro de cuatro ruedas que se movía solo, un barco animado con figuras autómatas de animales, cantantes, músicos y danzarines; un mono robot que además de moverse pedía limosna verbalmente y que tenía la capacidad de guardarse en una bolsa lo que obtenía.

Las estatuas parlantes

Los egipcios tenían muchos dioses, pero a veces, pese a la grandeza y poder del extenso panteón, era preciso impresionar a los feligreses.

Un arte muy antiguo

Ayer, como hoy, la robótica procede de Oriente. En China la capacidad de «darle vida a lo inanimado» recibe el nombre de Khawai-Shuh. Se tiene constancia de que muchos inventores chinos tuvieron autómatas e incluso robots que, a modo de sirvientes, eran utilizados para las tareas del hogar por sus amos.

Para ello, se tiene constancia de que se crearon figuras animadas y estatuas capaces de obrar ciertos milagros.

Un ejemplo de ello es que en el 1500 antes de nuestra era, Amenhotep hizo construir una estatua de Memnon, rey de Etiopía, que cuando era iluminada por el sol del amanecer emitía unos extraños sonidos. En la actualidad, para lograr todo ello nos bastaría con unas células fotovoltaicas, capaces de activar un reproductor de sonidos grabados en un CD o incluso en MP3, pero ¿cómo lo hacían hace 3.500 años? Es un enigma. Una teoría apunta que la estatua «sonaba» gracias a las corrientes de aire que se producían en su interior con el cambio de temperatura que acontecía al pasar de la gélida noche a la tibieza de la mañana.

El robot que destrozó santo Tomás

Una historia nos cuenta que Alberto Magno había logrado fabricar un robot que vivía con él. Para elaborar su criatura había recurrido a una serie de documentos de origen desconocido que se remontaban a tiempos anteriores a la existencia de Jesucristo.

Al parecer, Alberto Magno compartía cuarto de estudios con santo Tomás, quien tenía que soportar los continuos movimientos del robot por la estancia, además de sus juegos y sus extraños sonidos y parloteos. Santo Tomás, cansado de aquella criatura a la que en parte consideraba demoníaca, un día no pudo más, martillo en mano, terminó con ella.

El fin de la historia tiene dos versiones, la que cuenta que Alberto Magno nunca más construyó vida mecánica y la que asegura que el robot todavía tenía vida tras el episodio del martillo, de manera que se autoreparó. Tiempo después, su constructor lo mejoró, logrando que la máquina efectuase nada menos que predicciones del futuro.

La robótica de los clásicos

Según las leyendas los dioses del Olimpo disponían de robots. Hefaistos, el forjador del Olimpo, era poseedor de dos hermosas jóvenes que lo transportaban sobre sus hombros y acudían a su presencia con sólo ser llamadas por su nombre.

- **Arquitas de Tarento** vivió en torno al 400 antes de nuestra era. Construyó un pichón de madera que se sostenía en el aire mientras movía las alas.
- **Cresibio** inventó entre el 300 y 270 a. C. un reloj y un órgano que funcionaban con agua.
- **Herón de Alejandría,** nacido en el 85 a. C., construyó más de 200 artilugios que funcionaban como autómatas mediante procesos hidráulicos, poleas y palancas. Logró que la puerta del santuario de Zeus se abriese automáticamente cuando se prendía el fuego del altar que estaba en el santuario. Al tiempo, cuando el fuego se apagaba, las puertas se cerraban. Inventó un dispositivo del que, tras insertar una moneda, surgía agua.
- **Platón** comenta en alguno de sus escritos que los robots parecían ser algo bastante normal en distintas casas pudientes de la antigua Grecia. Apuntaba que algunas eran tan perfectas que llegaban a actuar por su cuenta, como si poseyeran inteligencia y vida propia.
- **Aristóteles** describió la existencia de un poblado en el que sus habitantes eran todos autómatas que trabajaban para seres humanos.

¿Energía eléctrica en el pasado?

Mecánica, inteligencia, creatividad y recursos. Sólo con esos elementos en el pasado se pudieron realizar grandes obras como las que hemos vistos, ahora bien, la cuestión es: ¿disponían de otros elementos?, ¿hasta dónde llegaba el uso de los recursos tecnológicos?

En la década de los años treinta Wilhem Köning, un ingeniero alemán que trabajaba en Bagdad, visitó por casualidad el museo arqueológico de la ciudad. Paseando por las dependencias se encontró con un extraño artilugio. Estaba agrupado junto a otros con una inscripción común: «objetos de culto».

Se trataba de unos recipientes de barro que tendrían alrededor de unos quince centímetros de altura. Al ingeniero le llamó la atención que en la parte inferior de las vasijas hubiera un cilindro de cobre. Tras aquella observación y luego de solicitar los permisos oportunos, tuvo acceso a las vasijas. En su interior, Köning vio una varilla de hierro. Puesto a investigar sobre el «objeto de culto» descubrió que en el interior del recipiente había vestigios de ácido, que había corroído el metal. Todo parecía indicar que frente a él se encontraba una pila eléctrica utilizada como mínimo hacía catorce siglos.

Años más tarde de aquel descubrimiento, que fue paralizado por el estallido de la Segunda Guerra Mundial, otro científico, Willy Ley, construyó una copia exacta de aquellas extrañas vasijas halladas por el ingeniero alemán. Introdujo sulfato de cobre en el recipiente, ácido acético y cítrico, todos ellos elementos conocidos en la antigüedad, y obtuvo una batería eléctrica. La pregunta que surge de inmediato es: ¿cuántas baterías iguales existieron en tiempos remotos en Bagdad?, ¿para qué se utilizaba la energía eléctrica?, ¿qué otros mecanismos están todavía por descubrir?

Más difícil todavía: electricidad hace 30 siglos

Si lo de las pilas de Bagdad ya es de por sí sugerente, podemos decir que eran bastante nuevas si las comparamos con otras encontradas en cuatro vasijas de barro que contenían otros tantos cilindros de cobre y que también aparecieron cerca de Bagdad. La diferencia es que datan de al menos el siglo X antes de nuestra era, y ya, buscando el más difícil todavía, no podemos pasar por alto otra referencia en torno a la electricidad: en la biblioteca de Prince, en Uijjain, India, se guarda una serie de documentos, cuya antigüedad data también de diez siglos antes de nuestra era, en los que se describen todos los componentes precisos para confeccionar una batería eléctrica.

Durante años se ha especulado con la posibilidad de que tanto en el interior de las pirámides como en algunos templos, en lugar de antorchas se hubiera dispuesto de ciertas máquinas productoras de electricidad, que habrían sido capaces de generar una iluminación artificial. No se han encontrado primitivas bombillas, pero como mínimo sabemos que la fuente de energía ya estaba a su disposición hace tres mil años.

36

¿Un paraíso terrenal llamado Atlántida?

El que primero la citó fue el filósofo griego Platón, uno de los pensadores más influyentes de todos los tiempos. En su famosa obra *Diálogos*, en el capítulo titulado *Timeo*, se habla de una isla llamada Atlántida. En el siguiente capítulo, llamado *Critias* como uno de sus discípulos, se relata una fantástica historia que es la base del mito. El propio Critias se la contó a Platón, diciéndole que la había escuchado de labios de su abuelo Solón, famoso poeta y político ateniense, a quien a su vez le había sido relatada en sus viajes a Egipto...

Todas estas personas existieron, pero sabiendo que la tradición oral acaba por no ser muy fiable y que el mito empieza siendo revelado tras haber pasado por tantas fuentes, podría ser que se hallara «contaminado» por cada uno que contara la historia.

Platón inmortaliza la Atlántida como una civilización avanzadísima para su época que habitaba una isla maravillosamente fértil repleta de recursos naturales y que vivía en una sociedad idílica gobernada con mano firme pero justa para con todos los atlantes. Aunque sus habitantes desdeñaban «cuanto no fuese la virtud y tenían en poco la prosperidad de que disfrutaban», vivían rodeados de lujos. La disposición de las diversas villas y ciudades era perfecta, las vías de comunicación impensables para la época y cada edificio, desde el más humilde al palacio de Poseidón, era en sí mismo una maravilla arquitectónica. La isla se disponía en círculos, en anillos concéntricos. La parte central era circundada por un canal donde se albergaba una poderosa flota de más de 1.000 naves. Luego venía otra franja de tierra y otro canal similar. Todos estos anillos eran atravesados por una vía de agua que daba al mar.

¿El sueño de un filósofo?

El relato de Solón sitúa a la Atlántida en mitad del océano Atlántico, comprendiendo el gran continente multitud de islas vecinas. Era tan grande como toda África del Norte y Asia Menor juntas, pero no quedó ni rastro de todas sus maravillas.

Los atlantes fueron un pueblo guerrero, y se data del 9600 a. C. una gran batalla que tuvo lugar entre éstos y los helenos, con la que los atlantes intentaron expansionar su imperio llegando hasta Europa, pero no pudieron con Atenas, que los expulsó «más allá de las Columnas de Hércules» (el estrecho de Gibraltar). Los dioses, viendo que el atlante se volvía indecoroso, decidieron castigarles y lo último que se supo es que hubo una gran catástrofe en su isla. En *Critias* se dice que Zeus «reunió en su muy honorable residencia a todos los dioses, incluso al que está en el centro del mundo y puede ver cuanto en él sucede, y una vez los tuvo allí reunidos les dijo...». Así acaba el relato, puesto que Platón nunca terminó el *Critias*.

¿Un relato o una crónica?

¿Se trata de un relato fantástico con el que el filósofo intentaba advertir con una fábula de los peligros de la ambición, de la pérdida del paraíso otorgado por los dioses? ¿Solón y Critias se lo inventaron todo, y otros antes que ellos? De hecho, no hay ninguna referencia anterior en ningún texto de la cultura griega. En otras culturas se dan vagas referencias de lo que pudo ser la Atlántida, y se insinúa en algunos textos antiguos egipcios que los primogénitos de los faraones fueron atlantes: Horus, Osiris e Isis, que podrían haber escapado de la hecatombe que borró del mapa la isla.

¿Son leyendas que al final Platón encontró ilustrativas para sus ideas sobre los peligros de la soberbia de los poderosos, una fábula sobre el peligro de ofender a los dioses al equipararse a ellos?

El resurgir del continente

En los siglos XVI a XIX el mito resurge en nuevas fuentes como la literatura clásica, la arqueología y hasta la misma Biblia. El famoso mapa de Piri Reis de 1513 es para algunos una prueba de que los atlantes existieron, puesto que un mapa tan exacto, que mostraba partes de África y América, sólo pudo haber sido hecho en esa época por una civilización muy avanzada.

A las puertas del siglo XX el mito renace con fuerza inusitada gracias a un libro que batió récords de venta en los países en los que fue publicado. *Atlántida: el Mundo Antediluviano* se publicó en 1882 y sigue siendo hoy un texto indispensable para entender la fascinación que provoca el continente perdido. Ignatius Donnelly fue el autor de la obra, un político estadounidense y gran orador que se obsesionó por la leyenda.

Según el autor, los atlantes pertenecían a tres razas diferentes: por un lado, egipcios, indios americanos y bereberes; los de raza amarilla formarían el segundo grupo; el tercero sería el caucasiano, blancos altos y rubios. Donnelly sostenía que el hecho de que el continente se hallara a medio camino entre América y Europa había servido de puente entre todas sus culturas, de ahí las similitudes entre culturas separadas geográficamente que apuntábamos antes. El estadounidense señalaba que la Atlántida era la síntesis y origen de diversos mitos antiguos y sus panteones como los de la India, Grecia, Finlandia o el paraíso bíblico.

Una catástrofe improbable

Aunque atractiva, la teoría de Donnelly se basaba en datos erróneos. Por ejemplo, sostenía que la catástrofe que arrasó la isla fue provocada por una fatídica combinación de terremotos y erupciones volcánicas. Hoy en día la geofísica moderna ha demostrado que un desastre de tal magnitud en un territorio tan grande hubiera dejado algún vestigio en alguna parte del Atlántico. También se ha puesto más que en duda que tal catástrofe hubiera tenido lugar en sólo 24 horas, como apunta Platón.

Aún así, la Atlántida ya había cobrado vida de nuevo en las mentes y corazones de muchos investigadores y curiosos. En los años 30, el arqueólogo griego Spyridos apuntó que una isla al lado de Creta, Thera, fue destruida por la erupción del volcán Santorín, con lo que ya tenemos una catástrofe que se corresponda con la época y que hu-

La joya de la corona atlante

En el centro de la maravillosa isla se alzaba, sobre una colina, el fantástico palacio de los regentes. Según cuenta la leyenda, fue erigido por Atlas, hijo de Poseidón y primer gran rey de aquel continente perdido, y, según Platón el edificio «estaba recubierto de plata, excepto las pináculos, que estaban cubiertos de oro. En el interior, el techo era de marfil con incrustaciones de oro, plata y cobre, y las paredes, las columnas y el suelo estaban recubiertos de cobre». En el centro de dicha maravilla se erguía una imponente estatua de Poseidón conduciendo seis caballos alados y rodeado de ninfas marinas.

Sin embargo, los sucesores no se quedaron atrás y cada uno añadía nuevos elementos ornamentales y arquitectónicos. Platón escribió que «cada rey que habitaba el palacio añadía más motivos decorativos, superando a los reyes anteriores, hasta que lo convirtieron en una residencia asombrosa por su magnitud y la belleza de su arte».

biera provocado el final de la brillantez del imperio de la isla. De ser ésta la leyenda cierta, entonces debemos admitir que Platón no estaba muy ducho en geografía o que le engañaron de buen principio. O ninguna de las dos cosas...

Lo único cierto de la Atlántida es que no hay ningún vestigio que pueda demostrar su existencia. Otra cosa bien cierta es que sigue despertando pasiones y nuevas teorías surgen cada dos por tres. El continente se ha llegado a situar en la India, Suecia, Argentina, Australia, etc., lo que demuestra que la Atlántida está en todas partes y en ninguna a la vez. Por eso es y seguirá siendo una cuestión fascinante.

¿Atlántida en España? Última hora del continente

Un grupo de científicos españoles realizó nuevas investigaciones en torno a la búsqueda de la Atlántida en 2003. Si las teorías se confirman, la Atlántida podría haber estado muy cerca de la costa andaluza. Lo cierto es que los científicos españoles han encontrado, bajo las aguas del golfo Atlántico, entre Cádiz y Gibraltar, una serie de formaciones en forma de canales que a los investigadores les recuerdan mucho a los citados por Platón. Los estudios reflejaron la existencia de unos canales perfectamente marcados, de gran longitud y trazado curvilíneo cuyas direcciones varían. Al tiempo hallaron una serie de valles y barrancos alrededor de dichos canales.

Mientras se prosigue la investigación, surgen como siempre teorías dispares. Por un lado, los defensores de la existencia de la Atlántida hacen suya una antigua hipótesis que la situaba en torno a Cádiz; por su parte, los geólogos creen que en realidad no es una ciudad sumergida, sino formaciones naturales que han ido creando las corrientes submarinas al paso de los siglos.

37

¿Existen los hombres lobo?

Desde hace varias décadas una palabra, zooantropía, es tenida en cuenta. No como la presunta capacidad de un ser humano para acabar convertido, mediante artes mágicas en un animal, sino como una patología. Cada vez son más las personas que creen ser animales, que piensan que se pueden comportar como ellos y obtener todos sus poderes. Patologías al margen, la pregunta es ¿ha ocurrido alguna vez? ¿son los hombres lobos o licántropos los herederos de la magia zooantrópica?

La bestia que llevamos dentro

El hombre lobo parece ser la síntesis perfecta de la conversión humana en bestia. Ahora bien, no sólo hay hombres lobo, también se tiene constancia de noticias que nos hablan de hombres coyote, hombres hiena y, yendo más lejos, hombres oso.

No se sabe en qué momento aparecen por primera vez en la historia los llamados hombres lobo. Los expertos creen que en realidad se trata de formas totémicas de manifestar una primitiva magia chamánica. Herodoto dijo que tanto los griegos como los escitas consideraban magos a los habitantes de las costas del Mar Negro que eran capaces de transformarse en lobos durante unos días al año con gran facilidad, y retornar a su forma humana a voluntad. ¿Había personas

LICAÓN: fue uno de los primeros licántropos de la historia. Era el rey de Arcadia. Según las leyendas dicho mandatario gobernaba con prepotencia y soberbia extrema su país. Un día osó a reírse del poder y la fuerza de Zeus. No se le ocurrió nada mejor que invitarle a cenar un guiso preparado con el cadáver de su hijo. Zeus lo castigó transformándolo en un lobo.

NABUCODONOSOR: era el rey de Babilonia. Las leyendas aseguran que cometió un gran pecado al deshonrar a sus dioses por lo que fue castigado por ellos y lo transformaron. Otra leyenda nos cuenta que en realidad se trató de un acto nigromántico o de magia en la que se recurrió al poder de los difuntos para conseguir menguar el poder del gobernante. Unos hechiceros le lanzaron una maldición que lo dejó transformado en lobo durante siete años.

realmente capacitadas para ello? Quizá en aquellos tiempos no, pero al parecer, sí en la Edad Media.

Lobos y hechiceros

A partir del siglo XV la licantropía comienza a tener una cierta popularidad en la sociedad rural. Se cree que los magos y hechiceros tienen la capacidad de pactar con entidades de lo nefasto, especialmente con demonios y lograr a través de ellos transformarse en hombres lobo que, de forma especial, aparecerán en las noches de luna llena. En este sentido el demonólogo Lancré, uno de los más reputados de la época afirmaba: «El diablo se transforma más a gusto en lobo que en otro animal porque el lobo es devorador y, por tanto, más dañino que otros animales. También porque el lobo es el enemigo mortal del cordero, en cuya forma fue figurado Jesucristo, nuestro Salvador y Redentor.»

Con el apoyo de la Iglesia la caza de hombres lobo se extendió como la de las brujas. Incluso los gobernantes de los principales países europeos creían en la existencia de seres que padecían el llamado «mal de los lobos». Sin ir más lejos el rey de Hungría, Segismundo, que al tiempo era mandatario del llamado Sacro Imperio Romano Germánico, se empeño en mover cielo y tierra para que la Iglesia reconociera la existencia de los hombres lobo. Fue en el Concilio Ecuménico de 1414, cuando se aceptó que los licántropos eran una realidad. Gracias a este reconocimiento los cazadores eclesiásticos se pusieron manos a la obra y, sólo en Francia, entre 1520 y 1630, se archivaron más de 30.000 casos de hombres lobo. De aquellos años, bien merece la pena recordar algunos casos escalofriantes:

Garnier el devorador

1573, un grupo de campesinos apresa a Gilles Garnier, que confesó haber devastado la campiña y devorado varias docenas de niños. Murió en la hoguera, no sin antes confesar que en las noches de cuarto creciente, aunque también en algunas de luna llena, pero no en todas, sentía nacer una gran furia en su interior. Percibía que su cuerpo estaba sediento de sangre y no tenía más remedio que, según él, salir a cazar.

Rollet: hallado con carne humana

1598, de nuevo unos campesinos, encuentran en un campo sembrado el cadáver de un joven de 15 años siendo devorado por dos lobos. Al ver el gentío los lobos huyen internándose en un bosque cercano. Las fieras son perseguidas y al final los campesinos encuentran entre el follaje el cuerpo desnudo de un hombre acurrucado en el suelo. El ser estaba lleno de sangre y lo más relevante: tenía restos de carne humana entre sus manos. El asesino en cuestión era Jaques Rollet, un débil mental que aseguraba tener el poder de convertirse en lobo. Se salvó de la hoguera por ser considerado un demente.

Grenier, el lobo adolescente

1790, Jean Grenier, tenía 13 años, era retrasado mental, pero lo cierto es que su fisonomía era un tanto sospechosa. Poseía rasgos caninos,

El misterio de los hombres oso

No se tiene constancia de su presencia en la actualidad. Es cierto que en las dos última décadas en las cercanías de Siberia se ha especulado que los hombres oso podían estar detrás de misteriosas desapariciones de niños. Lo cierto es que más bien parece una fábula para justificar el tráfico y secuestro de niños, pero la historia del hombre oso tiene un origen y no es ruso, sino noruego.

Las leyendas aseguran que los hombres oso eran grupos de guerreros que, además de ataviarse con pieles de oso, adoptaban el rol de los plantígrados gracias a la ingestión de sustancias psicodélicas y a la ejecución de distintos rituales mágicos. Las crónicas ancestrales hablan de guerreros que en la lucha eran poderosos, fuertes y casi invencibles. Ahora bien, en cuanto concluían los combates caían en un profundo sopor. Es de suponer que menguaba su poder como lo hacían los efectos de las drogas que tomaban.

poseía unas mandíbulas muy remarcadas, colmillos afilados y, además, creía ser un hombre lobo. Cierto día advirtió a unas jóvenes que ansiaba su sangre y su carne, y que al ponerse el sol las buscaría para devorarlas. Lo malo de todo es que cumplió su promesa y atacó a una de las niñas, que afortunadamente, aunque mal herida, pudo escapar. Grenier fue apresado, durante el juicio se limitó a indicar que había dado rienda suelta al lobo que llevaba en su interior. Afirmaba que su capacidad de transformación se debía a un pacto firmado con el diablo.

Ya en el tribunal, el joven licántropo confesó que había cometido muchos crímenes bajo la influencia del lobo que llevaba dentro. Él atribuía el origen de sus transformaciones a un encuentro con el diablo en el bosque, donde había firmado un pacto con él y recibido una piel de lobo. Según su relato, se transformaba al caer el sol y volvía a su forma humana al amanecer.

38

¿Mutaciones humanas o especies distintas?

Ser un hombre lobo puede parecer ridículo y vinculado tan sólo a una patología, si es cierto que existen hombres lagarto. Estamos hablando, quizá, de una raza al margen o, como prefieren decirlo los investigadores, de «otra especie de seres humanos...».

El hombre lagarto

En 1988 en Bishopville, Carolina del Sur, muchas personas aseguraron haber visto a una extraña criatura parecida a un Yeti, sin embargo, la alarma saltó, no por la descripción del tamaño de la criatura que pasaba de los dos metros de altura, sino porque en lugar de pelo, como un Yeti o Pies grandes, tenía escamas y su piel era verdosa. Podía recordar el semblante de un gran humano, pero a primera vista recordaba más a un lagarto bípedo y gigante.

Extremidades con garra

El extraño humanoide fue visto por varias decenas de personas y en distintos lugares, aunque siempre en las inmediaciones de Bishopville. La mayoría de los testimonios coincidían en que la criatura caminaba erguida y siempre sobre dos poderosas patas traseras en las que lo que más destacaba era que en sus pies, que más bien parecían garras, tenía tres dedos. Aunque algún testimonio llegó a ver hasta seis largos dedos, todos coincidieron en que lo que más llamaba la atención eran las prominentes uñas o garras. En este sentido, casi la mitad de quienes lo avistaron señalaron que la garra era sólo una, pero de enormes proporciones con relación al resto del pie. En cuanto a los brazos, que parecía tenerlos, eran largos, escamosos, de tonos verdes, y terminaban en algo parecido a manos que también estaban dotadas de garras.

Cara a cara con el monstruo

De entre todas las personas que tuvieron la oportunidad de ver al llamado «hombre lagarto» una, D. H. Sullivan, tuvo el encuentro a plena luz. Topó con el monstruo cerca de las aguas de las Marismas de Scape Ore. El testigo escuchó un extraño sonido...

> «Me pareció observar algo que se movía con brusquedad. Pensaba que estaba solo y la sombra que vi me asustó... Vi un extraño bulto que corría hacia mí. Aquello no tenía buena pinta, así es que me metí rápidamente en el coche. El monstruo saltó sobre el vehículo y se instaló en el techo profiriendo golpes y arañazos. Arranqué el motor de golpe y huí del lugar dejando a la criatura en el camino.»

El hombre contó su experiencia a varias personas de la población. La mayoría se tomaron el asunto a broma, pero la sorpresa aconteció cuando días después la policía se personó en casa del testigo. Parece que había otros casos como el suyo y otros coches con marcas de arañazos similares a las que poseía su vehículo, aunque Sullivan era la única persona que había podido comprobar cómo era el monstruo. En su descripción, coincidió con otros testigos en que la piel era verdosa, aunque él pudo apreciar también que era brillante y hasta parecía estar humedecida. No pudo verle la cara al monstruo, sólo apreció fugazmente una gran cabeza, en parte desproporcionada para el resto del cuerpo. Por lo demás, confirmó que medía más de dos metros de altura, era corpulento y presentaba garras en sus pies y en lo que serían las manos. Detalló que los brazos parecían simiescos.

Los avistamientos del hombre lagarto se produjeron durante varios años. Nadie pudo resolver el misterio. ¿Qué era la extraña criatura? ¿Se trataba de una extraña mutación o era simplemente una más de las muchas criaturas que todavía están por descubrir?

Los misteriosos hombres pez

Las leyendas nos hablan de bellas sirenas dotadas de medio cuerpo de pescado y el otro medio, la parte superior del tronco, de torneada figura de mujer. Las tradiciones aseguran que las sirenas son seductoras, cautivadoras y que emiten unos sonidos capaces de volver locos a los marineros. Algunas historias nos cuentan incluso que son antropófagas y que sus cantos son en realidad una estrategia para capturar a los seres humanos y devorarlos una vez los tienen en el fondo del mar. La pregunta que surge de inmediato es: ¿existe el homólogo masculino de las sirenas?, ¿hay hombres pez?

La mitología nos dice que sí hay una gran cantidad de criaturas que aparecen en ella, lo cual certificaría que desde tiempos inmemoriales se parte de la creencia en su existencia, pero ¿se han detectado casos?

El hombre de Liérganes

Es el único caso de hombre pez español que ha sido documentado de forma abundante a la vez que estudiado desde una perspectiva bastante académica, aunque han aparecido otros.

El episodio del hombre pez de Liérganes es narrado en el siglo XVIII por el fraile Jerónimo Feijoo, efectuando una crónica del hecho que se supone aconteció el 23 de junio de 1674: un joven nada en un río junto con otros amigos hasta que éstos lo pierden de vista. Pasan las horas y los días. Finalmente se le da por muerto, pero el cadáver no aparece.

Cinco años después, unos pescadores que trabajan en la bahía de Cádiz vieron un extraño ser en el agua. Parecía humano y emitía unos extraños sonidos. Después desaparecía bajo las aguas. El episodio se repitió durante varios días, siempre ocurría lo mismo y los pescadores llegaron a la conclusión de que estaban presenciando la aparición de un monstruo. Sin embargo había algo extraño, pues conforme pasaban los días la criatura parecía desear estar más cerca de los pescadores, y pese a que gritaba no manifestaba hostilidad. Intentaron capturarlo, pero cuando se acercaban más de la cuenta la criatura desaparecía bajo las aguas. Finalmente lo capturaron con unas redes utilizando como cebo

Una de las muchas ilustraciones antiguas que nos hablan de la existencia de hombres peces.

varios pedazos de pan. Una vez a bordo observaron que en realidad el monstruo parecía más humano que animal. Era joven, corpulento, tenía la tez pálida y el cabello corto y rojizo. Destacaba lo que parecía una hilera de escamas que iba desde la garganta hasta el estómago y otra que cubría toda la columna.

Exorcizando a la bestia

Tras ser capturado, el monstruo fue llevado por los pescadores a un convento, el de San Francisco, donde se procedió a realizar un exorcismo del hombre pez. Acto seguido fue sometido a un interrogatorio, pero el ser no hablaba, sólo pronunciaba la palabra Liérganes. Nadie sabía qué significado tenía aquella extraña palabra hasta que casualmente un joven dijo que cerca de donde él había nacido existía un lugar que se llamaba Liérganes. La Inquisición tomó cartas en el asunto, realizó una investigación, pero no se encontró nada extraño o fuera de lo normal, salvo el caso de la desaparición de un joven años atrás.

Uno de los investigadores del Monstruos de Liérganes, que es como se le llamaba, pensó que podía tener alguna relación la criatura con la población, de manera que se lo llevó hasta allí. Curiosamente, cuanto más cerca estaba del pueblo la criatura parecía más orientada. Tanto es así que llegó a Liérganes y a la casa de su madre, quien junto a dos de sus hermanos lo reconocieron como miembro de la familia.

Se produjo el ansiado reencuentro, pero el joven seguía sin hablar, caminaba desnudo y no se relacionaba con nadie. Nueve años después salió en dirección al mar y nunca más se supo de él… ¿era un

¿Eran hombres peces?

1989 – Menorca. Un grupo de turistas navega en un yate bordeando la costa. Observan sorprendidos lo que creen es un grupo de tres delfines. Atónitos ven que en realidad se trata de tres hombres. Tiene el pecho con apariencia humana, pero carecen de extremidades inferiores, que han sido sustituidas por una gran cola de pescado. Los ven sólo unos segundos nadando a gran velocidad, sin utensilios algunos. Las dos personas que los vieron aseguraron que les recordaban mucho a sirenas, solo que eran hombres.

1992 – Costa Da Morte, Galicia. Un pescador asegura que navegando cerca de la zona ya citada observa una forma humanoide bajo las aguas. Le parece imposible que pueda haber alguien nadando por allí. Da una voz y al momento la sombra evoluciona cambiando el rumbo en dirección a la embarcación. Algo sacó su cabeza del agua. Parecía una cabeza humana, pero no lo era. Tenía los ojos rasgados y toda la cara estaba cubierta de un extraño pelaje muy fino y de color marrón oscuro. La criatura poseía algo parecido a brazos, totalmente cubiertos de escamas.

hombre pez o se transformó en uno de ellos al tener relaciones quizá con mujeres pez?

El hombre pez y el cretinismo

Sin duda es fácil relacionar la cretinez con el cretinismo. Sin embargo, debemos efectuar un matiz. El cretino es un ser estúpido que está idiotizado y fuera de lugar. Pues bien, el cretinismo es todo eso, además de un retraso mental, pero la enfermedad también tiene afectaciones físicas.

Fue el doctor Gregorio Marañón, en el siglo XX, quien interesado por la historia del Hombre de Liérganes efectuó una investigación sobre el caso narrado. Para el doctor, el joven hombre pez padecía cretinismo, y ésta era la causa por la que el joven hombre pez había dejado de hablar y mantenía un comportamiento extraño e idiotizado. El doctor creía que el joven se había perdido para aparecer luego en Cádiz, pero no necesariamente había llegado hasta aquel lugar nadando. El doctor Marañón pensaba que la extraña apariencia del ser acuático, esto es las deformaciones escamosas y la tez blanca, en realidad eran ictiosis, una alteración dermatológica hereditaria que produce una alteración de la piel generando escamosidades.

Ahora bien, el hombre pez de Liérganes demostraba una gran habilidad natatoria, pasaba largas temporadas en el agua y poseía una poco frecuente resistencia a las inmersiones. Según el doctor Marañón la afición al mar del joven podría ser una manía como otra cualquiera y vinculó su capacidad para permanecer largo tiempo sumergido con una insuficiencia de tiroides que a veces padecen quienes sufren la enfermedad ya mencionada, ya que cuanto menos tiroxina se segrega menor es la cantidad de oxígeno que se precisa y por tanto es más fácil permanecer sumergido.

39

¿Existen hombres voladores?

Siempre hemos querido volar. La mitología nos habla de seres que se elevaban en los aires, de hombres y mujeres dotados de alas. Más allá del tema vampírico hay otra realidad, la existencia de seres humanoides que parecen ser una especie paralela a la nuestra. Su diferencia es que son aves humanas.

El hombre pájaro en Nueva York

Fue visto por primera vez en EE UU, nada menos que en Nueva York, en torno a 1877. Se trataba de una extraña criatura alada, tenía apariencia humana. Quienes vieron al ser pensaron que se trataba de un ave, grande, eso sí, pero al bajar unos metros en vuelo produjo un gran estupor a la vez que terror: su cuerpo era como el de un ser humano, al igual que su cabeza. Emitía gritos muy agudos y batía las alas con gran solemnidad. ¿Se trataba de una especie desconocida de ave? ¿Tenía vinculación con el ser humano? En aquella ocasión era una sola criatura, pero años más tarde llegó a verse una bandada compuesta por cinco aves humanoides.

También en Rusia

En 1908, en Vladivostok, Rusia, un campesino que acudía a visitar a unos familiares enfermos escuchó, mientras caminaba por los bos-

Reconstrucción de la imagen del hombre pájaro en el que destacaban sus grandes ojos amarillos.

ques, unos gritos estridentes y muy agudos. No eran humanos, pero tampoco pudo relacionarlos con ninguna criatura animal de las habituales en la zona. El campesino, que iba acompañado de su perro, observó que éste se comportaba de forma extraña. No sólo parecía inquieto (cosa que mostraba olfateando en todas direcciones y con rápidos movimientos de cabeza), sino también emitía gruñidos. De pronto el perro se internó en una zona muy tupida de bosque ladrando continuadamente. El campesino lo siguió y vio que su can se había detenido junto a una extraña huella de pisada que parecía humana, pero era más grande de lo normal y tenía cuatro dedos.

Un ser de ojos amarillentos

El campesino observó la zona en la que se había detenido el perro que ya no ladraba sino que gruñía amenazador y con el pelo erizado. Algo cerca de ellos parecía moverse en la maleza. De pronto de entre los matorrales apareció un ser que parecía humano. Su altura rondaba los dos metros, pero tenía alas y presentaba dos enormes ojos amarillentos. El encuentro duró unos segundos ya que el ser desplegó sus alas y desapareció elevándose en el cielo.

Cuando el campesino se repuso del susto y llegó a la aldea de su familia y relató lo sucedido, lejos de resultar increíble para sus oyentes, éstos lo aceptaron con la mayor normalidad. Ni siquiera dudaron de lo que el campesino les contaba. Al parecer en la zona había varias de estas criaturas, incluso habían sido vistas en grupo, surcando los cielos. Los lugareños decían que eran inofensivas y las describían no como hombres pájaro sino como genios de los bosques.

En la antigüedad se representaba a los hombres voladores como seres fantásticos y en ocasiones como aves de rapiña.

Un ser volador en Brasil

En los años cincuenta una pareja que paseaba por un bosque brasileño percibió un grito desgarrador que provenía del aire. Al cabo de un par de minutos escucharon un fuerte batir de alas sobre sus cabezas y una gran sombra se proyectó en el suelo. Al mirar, los paseantes quedaron atónitos: sobre sus cabezas evolucionaba, planeando, un gran ser de apariencia humana. Parecía una mujer, puesto que tenía dos pechos que sobresalían de un tronco emplumado y brillante. Al final de las alas parecía tener dos manos, pero eran en forma de garra. Otro tanto sucedía con sus piernas, que si bien eran de apariencia femenina, en lugar de pies tenían unas garras. Calcularon que la envergadura de las alas pasaba de los tres metros y que la mujer voladora debía tener cerca de 1,80 metros de altura. En el país carioca se ha reportado casi una docena de casos similares.

¿El hombre pájaro en España?

A finales de 2003, en Bigues, provincia de Barcelona, una pareja que veraneaba en la zona, en casa de unos familiares, escuchó algo parecido a un alarido en el cielo. Al levantar la cabeza vieron un extraño ser que volaba a gran altura por entre las nubes recorriendo las inmediaciones de un valle cercano. Les pareció que su tamaño era desproporcionado, y su forma, anómala. Al llegar a casa de sus familiares éstos les indicaron que posiblemente se habría tratado de un gran buitre o águila, ya que en las inmediaciones existía un parque de aves que periódicamente efectuaba demostraciones públicas de vuelo en libertad.

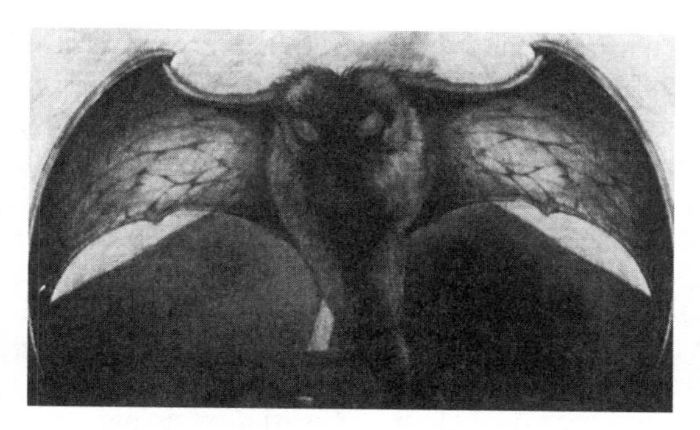

Reconstrucción de uno de los avistamientos del hombre polilla según indicaciones de los testigos.

La cosa quedó ahí hasta que tres días después la misma pareja, recorriendo uno de los bosques de la zona de Gallifa, escuchó el mismo sonido y vio algo moverse entre los matorrales. Tuvieron la oportunidad de contemplar a unos quince metros un extraño ser de tonos azulados. Parecía un hombre aunque la cabeza estaba desproporcionada con respecto al cuerpo, puesto que era bastante pequeña, mientras que el tronco superaba 1,90 metros. Alzó el vuelo desplegando las alas. Los testigos observaban cómo ascendía cuando de pronto escucharon un grito y vieron, no sin sorpresa, cómo otro ser, en este caso mucho más pequeño, de apenas un metro pero con similares características, alzaba también el vuelo en busca del primero. ¿Quiénes eran aquellos seres? ¿Podría tratarse de un hombre pájaro y su cría? No se tiene constancia de más casos en la zona.

Vuelta de tuerca: el hombre polilla

De nuevo un ser con apariencia humanoide que tiene capacidades voladoras. El caso se remonta a 1953 y ocurrió en EE UU. Un grupo de vecinos estaban sentados en el porche de su casa tomando el fresco en una calurosa noche de verano. De pronto uno de los vecinos observó a unos siete u ocho metros de distancia una sombra extraña que parecía estar sobre el césped:

> «... la sombra, saltó en dirección al árbol que había junto a ella. Cuando se posó en el árbol observé con claridad que era un ser vivo y no una sombra, y que tenía un gran tamaño. Era algo vestido de negro con forma humana, pero con alas.»

La testigo afirmó que la criatura era negra, tenía dos alas plegadas sobre el lomo y emitía una extraña luminiscencia.

¿Quién era aquel ser? ¿Qué pretendía? ¿Era un hombre pájaro? Seguramente fue la extraña luminiscencia la que le otorgó el nombre de «Ser Polilla» a la criatura que, por cierto, fue observada en distintas ocasiones más. Veamos algunas de las más relevantes:

- **1961.** Padre e hija circulan a bastante velocidad por una carretera local de Estados Unidos. Tienen prisa, el hombre es médico y acude a una consulta. De pronto ven en medio de la carretera a un ser en pie detenido. La criatura no parece moverse, así que reducen la velocidad del coche. Describieron al ser como enorme, de casi dos metros, que poseía unos ojos brillantes. Justo cuando el coche parecía que estaba a punto de impactar con él, desplegó dos grandes alas que cubrían el ancho de la carretera y se elevó, desapareciendo.
- **1963.** En Virginia una pareja de recién casados pasa con su coche por las inmediaciones de una fábrica abandonada de explosivos. De pronto ven una gran luz y detienen el auto. A pocos metros de la fábrica ven una criatura alta, con aspecto humano y dos enormes ojos que iluminan su cuerpo emplumado. El ser, al verse observado, comienza a caminar en dirección al coche de la pareja, la cual decide salir inmediatamente del lugar, pero la criatura les persigue primero corriendo tras ellos, y después alzando el vuelo. Luego se sitúa en paralelo con el vehículo, que en ese momento alcanzaba más de cien kilómetros por hora. Finalmente, luego de emitir un largo chillido, la criatura desaparece.
- **1964.** Una mujer, Marcella Nennet, estaba a punto de aparcar su coche cuando observó una criatura en la oscuridad. Según la testigo, «sus ojos eran terribles y resplandecientes. El ser estaba inmóvil, con las alas semiplegadas, y no paraba de mirarme».

Otra criatura alada: el hombre búho

Era la década de los sesenta cuando apareció en Cornualles una historia tan extraña como la de los otros hombres voladores, sólo que en este caso se trata de un hombre búho. Su primera aparición acontece el 17 de abril de 1976. Una adolescente de tan sólo doce años ve planear sobre la iglesia de Mawna lo que la joven describe como «un señor vestido como un búho». La noticia no fue tenida en consideración ya que procedía de dos adolescentes, pero casi seis meses después otras dos jóvenes, en este caso de 14 años, también avistan un ser anómalo con «la forma de un gran búho, pero con la apariencia de un hombre». Las niñas indicaron que tenía las orejas puntiagudas como las de los búhos y que su cabeza era de grandes dimensiones.

El caso del hombre búho parecía ya olvidado cuando tres años después, en 1978, numerosos testigos, en este caso no adolescentes, observaron que un gran pájaro muy peludo aunque con apariencia humana sobrevolaba la iglesia de Mawna.

Los investigadores llegaron a la conclusión de que en realidad no era un ser humano sino un búho real que había padecido alguna alteración en su estructura, pero no por ello dejaron de aparecer nuevos testigos afirmando que en Cornualles existía un ser volador de apariencia humana, pero con cuerpo de búho.

40

Zombies o el poder del vudú

Zombies, ritos satánicos, maléficos muñecos, mal de ojo... Estos son los ritos más conocidos de una religión ancestral, desconocida para la mayoría. Muchos creen que se trata sólo de superstición, pero detrás de toda la parafernalia del vudú se encuentra una estructura de poder temida y adorada que ha regido el destino de los haitianos durante siglos, y sigue haciéndolo...

Raíces negras

El vudú proviene de África. Cuando los esclavos fueron secuestrados de sus tierras natales y arrastrados al Nuevo Continente, siguieron conservando y perfeccionando ese culto panteísta que profesaban sus ancestros. Era una de las pocas señas de identidad a las que aferrarse. El vudú es una religión animista en la que lo sobrenatural se junta con la realidad. Normalmente se emplea con fines buenos, aunque hay una rama, la más conocida, que puede emplear esos poderes para hacer el mal.

Una magia política

Sin duda, la capital del vudú es Haití. Ninguno de sus dirigentes ha podido desempeñar su cargo sin el apoyo de los practicantes de esta

El vudú de la revolución

El vudú tuvo una importancia capital cuando los africanos llegaron a América. Los recién llegados pertenecían a diferentes cultos yorubas, pero lejos de su país fueron creando una religión propia que les unía. Los blancos prohibían su práctica, no sólo porque iba en contra de su religión, sino porque se dieron cuenta del poder unificador que tenía entre las personas a las que trataban de someter, pero los esclavos siguieron practicándolo en secreto. En 1791 se convirtió en la razón que les permitió rebelarse contra sus opresores. En esa época, Toussaint L'Overture, un seguidor vudú, inició una guerra contra los franceses en Santo Domingo que duró 13 años. Finalmente ganaron y Napoleón Bonaparte vendió 900.000 millas cuadradas de Louisiana a los Estados Unidos a un precio pírrico: 4 centavos por acre. Se cree que tomó esta decisión por miedo a las represalias vudúes que pudieran lanzarle sus antiguos súbditos.

religión. Se cuenta que el dictador Duvalier y el general Cedrás eran miembros activos de las ceremonias vudúes. El defenestrado presidente Aristide también participó en algunas de ellas. Pese a haber sido sacerdote católico, se entrevistó con los houngans (sacerdotes) y las mambos (sacerdotisas) y les prometió la construcción de un gran templo vudú en la capital. De esta forma reconoció la importancia de la religión que practica buena parte del país.

Clinton y el vudú

Para entender la importancia del vudú, podemos fijarnos en la visita que llevó a cabo el presidente Bill Clinton en 1995. Iba a presidir el cambio de guardias: las tropas de la ONU sustituirían a las norteamericanas. Unos 4.000 haitianos se concentraron en la Plaza del Palacio Nacional de Puerto Príncipe.

Muchos no estaban demasiado de acuerdo con la acción de Estados Unidos en su país, pero entonces ocurrió algo que hizo que cambiaran su opinión: una paloma blanca se posó en el micrófono de Clinton. La multitud estalló de júbilo. Era el símbolo de que los loas (los dioses vudúes) aprobaban lo que estaba sucediendo. Algunos

Una religión feminista

El vudú es practicado por más de 60 millones de personas, repartidas, mayoritariamente por Haití, República Dominicana, Cuba y algunas zonas de Estados Unidos. La religión originaria de la que procede es la Yoruba, que se practica actualmente en Nigeria, Togo y Benin. Existen otras religiones en Sudamérica que son muy parecidas como Umbanda, Macumba, Quimbanda y Candomble.

Lo más sorprendente y menos conocido de este culto es que se trata de una religión matriarcal. Un 80% de los seguidores son mujeres, y no es de extrañar, porque en esta creencia son respetadas mucho más que en el resto. Una mujer puede ser sacerdotisa sin ningún problema, y las opiniones femeninas siempre son escuchadas antes de tomar una decisión. Además, las mujeres pueden tener amantes sin que sean juzgadas por ello.

creen que no se debió a los dioses ni a la casualidad: los servicios secretos norteamericanos habían preparado aquel número para ganarse la simpatía de los haitianos. Sabían que la religión era la única forma de acercarse a ellos.

La influencia del vudú en todas las decisiones políticas de Haití es importantísima. Por ello, se considera que los sacerdotes de este rito son más poderosos que los ministros.

Zombies: ¿existen los muertos vivientes?

Sin duda, la imagen que siempre aparece cuando hablamos de vudú es la de un muerto viviente. El cine se ha encargado de crear un imaginario terrorífico de zombies que pueden acabar con el mundo, pero ¿qué hay de realidad y qué de ficción?

Para intentar acercarnos a la verdad, tenemos que referirnos a la obra de Wade Davis, *El Enigma Zombi.* Este antropólogo, etnólogo, botánico y biólogo de la Universidad de Harvard fue el primero en estudiar el fenómeno zombi desde una perspectiva científica. Empezó sus pesquisas en 1982 y le costó muchísimo que la comunidad científica aprobara este tipo de investigación. Se puso a estudiar dos casos en concreto, el de Clarvius Narcisse y el de Ti Femme.

Reviviendo 18 años después

Clarvius Narcisse había muerto en 1962, tras presentarse en un hospital con tos, dificultades respiratorias, mareos y vómitos. Se firmó su certificado de defunción. Sin embargo, 18 años después, en 1980 se presentó en su antigua casa. Davis se entrevistó con Narcisse que, extrañamente y para este tipo de casos, conservaba la lucidez y la capacidad de hablar. Así, le explicó que estuvo consciente durante todo su entierro y oyó los lloros de sus seres queridos. Después, una vez dentro del ataúd, un clavo le causó una herida en la cara. Según relató, posteriormente fue desenterrado por un brujo vudú, el cual pronunció su nombre. Después le golpeó y le condujo a una plantación situada en Ravine-Trompette, al otro lado del país. Cuando el brujo murió, los zombies vagaron sin saber a dónde ir.

La zombi Francina

La historia de Ti Femme (cuyo nombre real era Francina Illeus) es parecida. Padeció trastornos digestivos, visitó el hospital y fue dada de alta. Al poco falleció en su casa. Años después, la madre de Ti Femme la reconoció por una marca de nacimiento. Para comprobar si era cierto, exhumaron el cadáver. Pero en el ataúd sólo hallaron piedras.

El secreto: una potente droga

No había explicación para aquellos dos casos que pudiera considerarse científica. O tal vez sí. Davis estaba convencido de que había una sustancia potentísima capaz de anular las constantes vitales de un individuo. De esta forma, los galenos le darían por muerto. Después el brujo aplicaba un antídoto, que en muchos casos provocaba la amnesia y un estado de alucinación bajo el cual se convertían en esclavos, pero ¿en qué consistía esa sustancia?

Davis investigó hasta dar con el polvo zombi. Era un compuesto con unas proporciones muy medidas de extractos de plantas, huesos humanos, sapos venenosos, gusanos y otros elementos. El principal compuesto es la tetradotoxina, que es el veneno que contiene el pez globo y que resulta uno de los más potentes de todo el mundo. La intoxicación por tetradotoxina es rápida: los primeros síntomas aparecen entre 5 y 30 minutos después de la ingesta y causa náuseas, debilidad, hormigueo, pérdida de conocimiento... No existe un antídoto, por lo que los brujos vudúes saben perfectamente cuál es la proporción que deben emplear para no causar la muerte. Ése es el secreto mejor guardado del vudú.

Zombies en el código penal

Para que comprendamos lo habitual que resultan los zombies en Haití basta con revisar un Código Penal que data de 1953:

> «Se califica también de atentado por envenenamiento a la vida de una persona, al empleo que se haga contra ella de substancias que, sin causar la muerte, hubieran producido un estado letárgico más o menos prolongado, de cualquier manera que esas substancias hubieran sido empleadas y sean cuales fueren las consecuencias. Si como resultado de este estado letárgico, hubiera sido inhumada la persona, el atentado será calificado de asesinato».

Seguramente ningún otro país del mundo tiene una ley tan extraña para juzgar una práctica que sólo ocurre en territorio vudú.

Buena parte del resto de los hechizos tiene seguramente su origen en el empleo de las plantas de la región. Muchos aún no han sido revelados, pero seguramente con el tiempo iremos sabiendo cómo se producen.

De todas formas, lo que sigue siendo un misterio es la habilidad que tienen estos brujos para encontrar, mezclar y emplear plantas medicinales. Ninguna otra religión ha conseguido un dominio así de la naturaleza. Muchos dicen que es una sabiduría que les fue revelada por seres superiores, acaso extraterrestres, pero no hay ninguna prueba fehaciente, tan sólo un conocimiento único que no se ha dado en ninguna otra parte del mundo.

41

¿Qué se esconde en el lago Ness?

Es uno de los clásicos en lo que a monstruos se refiere, ha protagonizado películas, series de televisión, cuentos y novelas. Pero el monstruo, al margen de un buen negocio, sigue suscitando el interés y la investigación. Su historia no es una moderna estrategia de marqueting... ¿qué hay realmente bajo las aguas del lago?

Eterna criatura

El primer avistamiento del monstruo data del año 565 d. C., en el que un monje irlandés dejó escrito que un discípulo suyo, san Columba, avistó una gran cabeza de un animal muy extraño mientras nadaba en el lago. Fue el comienzo de un mito que fue creciendo con el tiempo.

El siguiente avistamiento se lo adjudicó un buzo en 1880. Duncan McDonald se sumergió en el lago, buscando los restos de un barco hundido. Al poco de sumergirse, hizo frenéticas señales para que le subieran a bordo. Subió pálido y temblando de miedo. Había visto un animal enorme posado en una roca del fondo, «una bestia de aspecto extraño, como una enorme rana».

El monstruo es avistado en el siglo XX

Ya en el siglo XX, Nessie, como llaman al monstruo del lago, tuvo una agenda apretada, sobre todo en la década de 1930. En mayo de

1933, el alguacil del lugar, Alex Campbell, dijo haber visto lo mismo que san Columba: una gran cabeza y un largo cuello que salían de las oscuras aguas del lago. En julio de ese mismo año, el matrimonio Spicer se dirigía hacia el pueblo de Foyers bordeando el lago y vieron al monstruo entre los matorrales al lado de la carretera. Su descripción fue: largo cuello, 1,80 metros de largo y 1,20 de alto, de «color gris elefante, de una textura repugnante, que recordaba a un caracol». Se movía saltando. Cuando se bajaron del coche, ya había desaparecido en el lago. Aquí empezaron las primeras teorías sobre un monstruo anfibio.

El primer testigo cualificado fue el estudiante de medicina Arthur Grant, que el 5 de enero de 1934 avistó al monstruo al lado del camino mientras iba en moto. Nessie enseguida huyó, pero Grant le definió como «un ser de cabeza pequeña, como la de una anguila, ojos ovoides, cuello muy largo y cuerpo enorme, estrechándose suavemente hacia la cola». Dijo también que mediría unos 6 metros de largo y tenía la piel oscura, parecida a la de las ballenas. «Como sé algo de historia natural, puedo decir que en mi vida he visto algo parecido a aquel animal. Parecía un híbrido, un cruce entre plesiosauro y un miembro de la familia de las focas.» Como vemos, la forma del monstruo se va aclarando en el inconsciente colectivo y Nessie empieza a ser representado como un dinosaurio anfibio que no puede existir..., pero que no para de ser avistado.

La última aparición de Nessie en los años 30 pasa por ser una de las más numerosas. Hasta 50 testigos, entre turistas y lugareños, afirmaron que el 8 de octubre de 1936 pudieron ver al monstruo durante más de quince minutos. Nessie se sacudió la timidez y se paseó cerca del castillo de Urquhart, unas ruinas que hay sobre unos acantilados en una parte del lago. Primero lo avistó un vecino, que atrajo la aten-

¿Y si Nessie fuera una anguila?

Así lo ve Richard Freeman, un científico británico que cree que en el lago Ness no hay fraude alguno, sino que vive una criatura que en realidad es una anguila de entre ocho y nueve metros de longitud. Al ser preguntado por la larga vida de la criatura, el científico aseguró que son las condiciones del lago lo que ha permitido su longevidad y mutación, ya que lo normal es que una anguila no supere los 10 años de vida.

Y siguen apareciendo monstruos

En Chile, a finales de 2003, se encontró un extraño esqueleto que al parecer no corresponde con un ser conocido. El hecho aconteció en la ciudad de Concepción, en la Octava Región de Chile. Los restos de la extraña criatura no tenían extremidades superiores aunque sí presentaban patas con talón. La gracia del caso es que no ha sido el único hallazgo, puesto que a lo largo de un año se encontraron en otras localidades chilenas otros tres restos muy similares.

ción de autobuses llenos de turistas que se hallaban en la zona. Todos coincidieron en describirlo con dos jorobas y el cuello largo.

¿La última aparición?

Con Nessie nunca se sabe... Lo cierto es que incluso en 2005 algunas personas aseguran haber visto a la criatura del lago, pero uno de los últimos avistamientos, al menos filmados, ocurrió en junio de 2002. Un turista filmaba a su mujer mientras nadaba cuando a lo lejos observó la presencia de un extraño animal de cuello largo y con una cabeza similar a la de una serpiente. La cinta, que recogió unos 10 segundos de grabación, no ha aportado pruebas concluyentes sobre el monstruo y se sigue investigando. Lo único que se ha determinado es que no parece tratarse de un montaje.

¿Qué es el monstruo?

Las últimas investigaciones científicas realizadas por un equipo escandinavo especializado en búsqueda submarina obtuvieron grabaciones de sonidos extraños. Los expertos aseguraron que la frecuencia de emisión sonora era muy similar a la usada por el león marino, la morsa o incluso las ballenas orcas. Al escuchar con atención los sonidos grabados apreciaron que se parecían a un ronquido humano, algo muy similar a lo detectado en otros lugares donde supuestamente también moran monstruos prehistóricos. Otros análisis posteriores determinaron que los sonidos podrían pertenecer a anguilas o truchas, aunque no se sabía qué era el extraño ronquido que tenía un alcance de frecuencia de 747 a 752 hercios. El misterio sigue vigente.

Miscelánea zoológica increíble

- El Celacanto, un gran pez, es un auténtico fósil viviente. Se calcula que apareció hace 400 millones de años, sin embargo, no fue descubierto hasta 1938. De todas maneras, algunos marinos ya habían advertido de su presencia, pero nadie les había hecho caso.
- El Megamouth es un gran tiburón de 750 kilos de peso y enormes fauces, 1,2 metros de ancho, que no fue descubierto hasta 1976. Sólo se han visto diez en el mundo, aunque las leyendas sobre su existencia citan a muchos más desde hace ya algunos siglos.
- El teniente de navío George Sandford informó en 1820 haber visto en aguas del Atlántico una serpiente marina de unos treinta metros de longitud que arrojaba agua por la boca al igual que las ballenas. Por el momento no se ha podido certificar su existencia.
- En 1830 el capitán y parte de la tripulación del Eagle avistaron un cocodrilo gigante, aunque parte de su cuerpo era el de una serpiente. Dispararon a la criatura que, revolviéndose, atacó el casco del barco antes de desaparecer. En todo el mundo se han reportado hasta 5 casos de cocodrilos gigantes nadando fuera de lo que sería su hábitat tradicional.

Pulpos y calamares gigantes

Al margen de las leyendas sobre estas dos criaturas, narraciones que por cierto siempre las muestran como de terribles proporciones y dotadas de una gran violencia y ferocidad, las primeras referencias es-

Análisis de uno de los calamares gigantes hallados en el Pacífico.

critas sobre el Kraken o pulpo gigante se remontan a 1752. Eric de Bergen, en su obra *Historia Natural de Noruega* detalla que el *kraken* es un pulpo del tamaño de una isla flotante de milla y media de extensión y que, además, estaba lleno de brazos y ramas. Sin duda, el narrador le puso mucha pasión a su relato.

Datos de realidad

Uno de los pulpos gigantes encontrados modernamente fue hallado en 2002. No era una isla gigante, pero medía más de cuatro metros de longitud y pesaba alrededor de 70 kilos. Antes de dicho hallazgo tenemos que remontarnos a 1861 para encontrar noticias del *kraken*. El 30 de noviembre de aquel año, los tripulantes del barco *Alecton* vieron en la inmensidad del océano una criatura que parecía un pulpo: tenía ocho patas y medía alrededor de seis metros de largo. Tras perseguirlo le lanzaron un arpón, pero fue en balde, lo único que consiguieron fue agitar a la criatura y que les mostrase una extraña cabeza en la que destacaba lo que describieron como un pico de loro. La criatura escapó aunque lograron un pedazo de su presa, un trozo de tentáculo de 20 kilos de peso.

¿Pulpos o calamares?

Es de suponer que lo avistado, en realidad, siempre fueron pulpos, pero cabe la posibilidad de que aquellas grandes criaturas hayan sido

El calamar español

El último ejemplar de calamar gigante apareció en las costas de Asturias en 2003, en las inmediaciones de la playa de La Griega. Era una hembra de nada menos que 70 kilos. No se trata de un hecho aislado, ya que desde 1965 la contabilización de criaturas de este tipo aparecidas en las costas asturianas es de 25, un número interesante, pero nada si tenemos en cuenta que dichos animales suponen sólo el 15 por ciento del total hallado en las costas del atlántico norte. Tampoco es un número muy significativo si tenemos en cuenta que una hembra de este tipo de calamar puede poner alrededor de nueve millones de huevos a lo largo de toda su vida.

confundidas a veces con calamares gigantes, que también existen. La referencia más antigua de este ser aparece en 1861, fecha en la que un barco militar francés avistó un ejemplar de esta criatura.

Bibliografía

Anónimo. *Atma y Brahma. Upanisad del Gran Aranyaka y Bhagavadgita.* Editora Nacional. Madrid. 1977.

Ares, Nacho. *El guardián de las pirámides.* Oberón, Madrid, 2002.

—. *Egipto, hechos y objetos inexplicables del Egipto faraónico.* Edaf, Madrid, 2002.

Barna, Benimadhab. *Historia de la filosofía India prebudista.* Visión Libros, Barcelona, 1981.

Benítez, J. J. *La punta del iceberg (Los humanoides).* Ed. Planeta, Barcelona, 1983.

—. *La quinta columna (Los humanoides 2).* Ed. Planeta, Barcelona, 1991.

—. *Materia reservada.* Barcelona. Ed. Planeta, Los otros mundos de J. J. Benítez, Barcelona, 1996.

Berlitz, Charles. *Sin rastro.* Ed. Pomarie, Barcelona, 1975.

Berlitz Ch. y Moore, W. *El experimento Filadelfia.* Aisko Editeurs, París, 1984.

Biedermann, Hans. *Diccionario de símbolos.* Ed. Paidos, Barcelona, 1993.

Blazquez, J. M. y Lara, F. *El libro de los muertos.* Editora Nacional, Madrid, 1984.

Brenn Robert. *Apariciones y desapariciones misteriosas.* Colección Paracientífica. Editorial Ramos-Majos, Barcelona, 1982.

Bourdieu, Pierre. *Los ritos como acto de institución.* Akal, Madrid, 1985.

Cartagena, Nicole y Herbert. *Por el camino de los incas.* Ed. Javier Vergara, Buenos Aires, 1978.

Chevalier, J. y Gheerbrant, A. *Diccionario de los símbolos.* Ed. Herder, Barcelona, 1993.

Chopra, Deepak. *El camino de la sabiduría.* Ediciones Martínez Roca, Barcelona, 1996.

Clark Howell, F. *El hombre prehistórico.* Time Inc., Londres, 1969.

Clery, Thomas. *Antología Zen.* Editorial Edaf. S. A., Madrid, 1995.

Daniken, E. Von. *Las apariciones.* Barcelona, Ediciones Martínez Roca, Barcelona, 1986

Eliade, Mircea. *Tratado de Historia de las religiones.* Ediciones Era, México, 1984.

Eliade, Mircea. *El Mito del Eterno Retorno.* Alianza Editorial, Buenos Aires, 1968.

Gaalyah, Cornfeld. *Arqueología de la Biblia.* Ediciones Victor, Barcelona, 1980.

García Casado, Sira. *Los celtas un pueblo de leyenda.* Ediciones. Temas de Hoy, Madrid, 1995.

Grimberg, Carl. *Historia Universal.* Ediciones Abril, Chile, 1986.

Guirao, Pedro. *El enigma de Teotihuacan.* Ediciones Libro Expres, Barcelona, 1988.

Heras, Antonio. *Respuestas al Triángulo de las Bermudas.* Ediciones del amanecer dorado, Buenos Aires, 1991.

Kelso, A. J. *Antropología física.* Ediciones Bellaterra, Barcelona, 1978.

Khuon, Ernst. *Los dioses vinieron de las estrellas.* ATE, Barcelona, 1978.

Liekens, Paul. *La energía secreta de las pirámides.* Edaf, Madrid, 1996.

Lleget, Marius. *OVNI's y agujeros negros.* Plaza & Janés, Barcelona, 1981.

Loire, Peter. *El gran libro de las supersticiones.* Ediciones Robinbook, Barcelona, 1993.

Mac Call, Henrietta. *Mitos mesopotámicos.* Ediciones Akal, Madrid, 1994.

Martínez, Tomé. *Tras las huellas del pasado imposible.* Editorial La puerta del misterio, Madrid, 2003.

Matthews, Caitlín. *Las diosas.* Editorial Edaf, Madrid, 1992.

Michell, John, *Astroarqueología.* Oberón, Madrid, 2002.

Müller, Max. *Mitología comparada.* Edicomunicación, Barcelona, 1988.

Nöel, J. F. M. *Diccionario de mitología Universal.* Edicomunicación, Barcelona, 1971.

Palao Pons, Pedro. *Momias.* Tikal, Barcelona, 1994.

—. *Druidas.* Ediciones Karma 7, Madrid, 2002.

—. *Cómo contactar con el más allá.* Ediciones Robinbook, 2000.

—. *Ruedas mágicas, círculos de energía.* Karma 7, Madrid, 2000.

Piñero, A., Torrents, J. M. y García, F. *Textos gnósticos. Biblioteca de Nag Hammadi II.* Editorial Trotta, Madrid, 1999.

Ribera, Antonio. *La dimensión perdida.* Corona Borealis, Barcelona, 2002.

Robbins, Lawrence. *Las huellas secretas del pasado.* Ediciones Robinbook. Barcelona. 1993.

Rogo, Scott. *La existencia después de la muerte.* Ediciones Apóstrofe, Madrid, 1991.

Schoch, R. y Aquinas, R. *Escrito en las rocas.* Oberón, Madrid, 2002.

Suzuki, Daisetz T. *El Zen y la cultura japonesa.* Ediciones Paidós, Barcelona, 1996.

Valls, Arturo. *Introducción a la antropología.* Editorial Labor, Barcelona, 1980.

Winkler, E. y Schweikhardt, J. *El conocimiento del hombre.* Planeta, Barcelona, 1982.

Woolger J. R. *Otras vidas, otras entidades.* Ediciones Martínez Roca, Barcelona, 1991.

Índice